未来をつくる言葉

わかりあえなさをつなぐために

ドミニク・チェン

新潮社

はじまりとおわりの時

生まれてはじめて他者と言葉を交わし、見知らぬ場所に足を踏み入れ、恋に落ちる――無数の「はじめて」を経てもなお、わたしたちが世界を知り尽くすことはない。それは、ただ世界が広大だから、というだけではない。常に「おわり」が別の「はじまり」の源泉となり、その繰り返しの度に新しい言葉が生まれるからだ。

それはいつも、なにかの「はじまり」であると同時に「おわり」をあらわしている。未知の世界を発見する時とは、既知の領域を離れる時でもある。そして、一生の間には、それまで蓄積されてきた経験の皮膜が一度に無化し、未知の時間が始まる予兆で満たされる瞬間がある。

時間と空間がただ一点に圧縮されるのに似た密度をあじわう。そんな局面を、誰しもいくつか思いだすことができるだろう。わたし自身も、これまで経験してきた数多《あまた》の「はじまり」と「おわり」の瞬間を思い起こすことができる。本を読むなかで新しい概念に出会い、天からの啓示を受けたような衝撃を覚えたとき。鑑賞した絵画や映画作品の表現に包みこまれてしまって、しばらくのあいだ現実に立ち戻れなくなったとき。そして、忘れることのできない人との出会いの数々が、それ以前の状態には遡行《そこう》することのできない不可逆な変化を起こしてきたとき。

こうした記憶の広がりのなかで、今にいたるまでもっとも強い磁力を発し続けているのは、妻の出産に立ち会ったときの記憶だ。娘が母胎の外へと這いずり出て、最初の産声を上げる準備をしているその刹那《せつな》、自分の全存在がその風景のなかへ融《と》けこむ感覚に襲われた。

鈍い灰色の光彩に包まれたその小さな身体が、はじめて息を吸いこんだ次の瞬間、一度に全身が赤みを帯び、生命の色に染まる。直後に部屋中に響き渡る産声とともに、原初の「はじまり」が世界に顕現する特異点だ。

彼女の身体がはじめて自律的に作動したその時、自分の中からあらゆる言葉が喪われた。

同時に、とても奇妙なことだったが、いつかおとずれる自分の死が完全に予祝《よしゅく》されたように感じられた。自分という円が一度閉じて、その轍《わだち》の上を小さな新しい輪が、別の軌跡を描きながら、回り始める感覚。自分が生まれたときの光景は覚えてはいないが、こどもの誕生を観察することを通してはじめて、自らの生の成り立ちを実感する気もした。

それから現在に至るまで、自分はこの円環的な時間の甘美さに隷属してきたように感じる。まだ一人では生きていけない彼女の成長をいつも側で見守ることによって、自分の生きる意味も無条件に保障されてきた。わたしはそのあいだ、自分自身のために新たな言葉を探ることを必要としなかった。ある意味では、「こどもを育てる」という免罪符を得ることで、自分自身の歩みを振り返ることを怠ってきたのかもしれない。

それでも、全身の力をふりしぼって大泣きしたり、無邪気にあたりをぴょんぴょん跳ねまわったりする娘の姿を見るたびに、わたしの心は彼女の発する色とりどりの感情で充溢《じゅういつ》していた。そこに付け足すべき言葉など、なにひとつなかった。

しかし、いま、自分とこどもを覆っていた泡の皮膜が弾けようとしている。娘はある時から、自分だけの感覚を獲得して、自由に問いを発しはじめた。一方的に庇護《ひご》を受ける段階を脱して、目の前に広がる豊穣な世界へと自らのちからで分け入ろうとしている。これもまた、自分とこどもの関係におけるひとつの「はじまり」と「おわり」なのだろう。であれば、彼女がうまれたときに感得した儚《はかな》い印象がいつのまにか消え去ってしまわないように、そのあたらしい受容器となる言葉にかたちを与えたい。そのためにも、娘の誕生と共に一度終わった自分の学びのプロセスを起動し直さなければならないのだろう。

　求めていきたいのは、娘が生まれた瞬間に体験した、あの不思議な時空を表すための言葉だ。自己が世界の背景に融解していく、あの安堵の正体はなんだろうか。なぜ、自分の死への恐怖が祝福へと転化されたのだろうか。この奇妙な感覚に名前を与えずして、自分の思考を進めることはできない気がする。

　親子になるという経験、そして生死という、誰にでも訪れる「はじまり」と「おわり」を見つめながら、自分が言葉を探り出す過程をいつか娘に読んでもらうことで、自分自身の過去を切り開き、わたしの見た未来を想い出してもらえたら、と思う。

　わたしはこれまで、哲学とデザインを学んだ後に、美術館で仕事をしながらインターネット上の文化を促進するＮＰＯに参加し、情報技術の会社を起業した。好奇心の赴くままに活動の場を移してきた来歴に共通するのは、「表現とは何か」という問いだ。

いまは大学の場で、これから社会に飛び立とうとする若い人たちと一緒に、新しい表現のかたちを研究している。生きるために必要とする表現の道具や方法を、当事者が構想し、具現化する研究だ。そのためにわたしたちは、芸術とデザイン、文芸と哲学、エンジニアリングと自然科学、文化人類学と認知科学、そしてデジタル・テクノロジーと、あらゆる表現領域の歴史を参照する。

数年間、共に学んだ学生が卒業したと思えば、すぐに研究室の門戸を叩く者が現れる。ここでも、常に「はじまり」と「おわり」が反復している。そうして、若い人たちの瑞々しい感性に触れるとき、まるで自分が生まれなおしているように感じられる。

これまでに出会ってきた数多の他者たち――自分のこどもも含めて――と自分自身の生が重なる瞬間、わたしは彼もしくは彼女でありえたかもしれない世界を生きる。

放っておけば意識からこぼれ落ちてしまう、この儚い縁起《えんぎ》の感覚をとらえ、かたちを与えるために、わたし自身を紡いできた「はじまり」と「おわり」のパターンを書き記していくことにしよう。この過程のなかで、読者であるあなた自身の生の軌跡が喚起《かんき》されるよう、祈りつつ。

本書は、Ｗｅｂマガジン「考える人」に２０１８年２月22日から11月29日まで、17回にわたって連載した『未来を思い出すために』を大幅に加筆、修正したものです。

装幀　ＧＲＡＰＨ＝北川一成と吉本雅俊
著者写真　望月孝

未来をつくる言葉　目次

未来をつくる言葉～わかりあえなさをつなぐために

第一章　混じり合う言葉

わたしたちはこの世に生まれ落ちたあと、どのようにして世界と関係をむすぶのだろう。こんな問いと向き合うために、まずは自分自身がはじめて言葉と出会ったときを思い出していこう。そうすることで、娘がいま生きている成長をよりよく理解できるようにも思えるからだ。

こどもの誕生の際に浮かんだ、ひとつの「おわり」が新たな「はじまり」と連続しているイメージを足がかりにすると、10代の終わりのことが思い起こされる。ある日、自分がそれまで辿ってきた軌跡と、これから辿るべき未来の道筋の両方を言い表すような、ひとつの文章と出会ったのだった。

全く知らないことや、よく知らないことについて書く以外に、果たして書きようがあるのだろうか？（……）わたしたちは自らの知識の先端、つまり既知と無知を隔て、片方からもう片方へと移行させるこの極限点においてしか書くことができない。このような方法によってのみ、わたしたちは書くことを決意できるのだ。
［『Différence et répétition』, Gilles Deleuze, Presses universitiaires de France 1968, P4, 筆者訳］

このフレーズは、フランスの哲学者ジル・ドゥルーズがその代表作の導入部分に書いたものだ。ここには後に、彼が長年の盟友である精神分析家フェリックス・ガタリと共に作り上げた「脱領土化」［déterritorialisation］という哲学的コンセプトの本質が凝縮されている。

未知の領域へ向けて足を踏み出す動き以外に、新しい知識は獲得できないし、自らの立つ領土の輪郭を認識することもできない、ということだ。そして、わたしたちは領土を脱した後に、別の場所を再・領土化する。この運動を繰り返すうちに、無数の世界のあいだを行き来する。

この表現に自分が勇気づけられたのは、幼少期より「領土化」と向き合いながら生きてきた自分の生を肯定されたと感じさせられたからだった。

わたしは、日本に生まれながら、台湾とベトナムにも家族を持ち、フランス人として教育を受ける中で、いつも自分の居場所に対する違和感を抱きながら、複数の「領土」をせわしなく出たり入ったりしてきた。

ドゥルーズが「領土」という概念を用いる時、彼は生物学者フォン・ユクスキュルが発明した「環世界《かんせかい》」［Umwelt］という概念に依拠している。環世界とは、それぞれの生物に立ち現れる固有の世界のことを意味する用語だ。

生命にとっての身体は、世界を認識し、周囲の環境に働きかけるための始点であり、あらゆる行為を支える原初の文脈《コンテキスト》である。鳥、昆虫、魚類、哺乳類、そして微生物といった、実にさまざまな生命のかたちが地球上に存在するが、生物の身体ごとに備わる知覚の様式に応じて、異なる世界が認識され、構成されている。そして、他の生物と異なり言葉を使う人間には、生物学的な環世界の上に、時間と空間を抽象化して扱う言語的な環世界が重ね合わされているといえる。ドゥルーズは、生物が自分の世界を持ち、その身体表現を周囲に顕現させる様を見て、芸術の誕生を想起すると言っている。

ドゥルーズはまた、哲学者の仕事とは、新しい概念《コンセプト》を発明することである、と一貫して主張した。たとえば「脱領土化」は、彼が作り上げた概念であり、短くない哲学の歴史を受け継ぎながらも、その新奇な言葉が生まれるまでは明示的に議論されてこなかった。それは映画監督が新しい映画を作ったり、小説家が新しい小説を書いたりすることと似ている。しかし、哲学とは決して、映画や小説の方法論を編み出すものではない。哲学は哲学的言語にしか表現できない固有の領域を切り開く。ここにも「領土」の概念が表出しているのがわかる。表現には、その形式に固有の環世界が立ち現れるのだ。

この考え方は、自分自身がときに困惑しながらも魅了されてきた自然言語、つまりわたしたちが普段つかっている言葉、にも当てはめられるのではないか。当時のわたしにはそう思えたのだった。

言葉の環世界

わたしの祖父母たちの世代は20世紀の戦争に翻弄された生を過ごした。母方の日本の家族は、第二次世界大戦が終結する頃には満州に住んでいて、どっと流れ込んできたロシア兵の侵略を逃れるかたちで、命からがら日本に帰り、関東に移り住んだ。父方の台湾の家族もまた、大戦によって引き裂かれたが、さらにベトナム戦争（１９５５～75）の惨禍によって、アジア、ヨーロッパ、そしてアメリカへと散らばった。現在はフランス、アメリカ、台湾、ベトナム、そして日本に親戚が住んでいる。

　父は幼少期から様々な国に移り住むうちに、ベトナム語、英語、フランス語、日本語、そして中国語（北京語、広東語、台湾語）を話す多言語話者《ポリグロット》になった。そして日本に留学している間にフランス共和国に帰化するという、実の息子から見てもなんとも奇異な人生を過ごしてきた人である。

　父がフランス語を話せたのは、祖母がフランス占領時代に生まれたベトナム人で、フランス語に堪能だったおかげだが、フランスに帰化したのは「フランス政府に就職できるから」という生活上の理由からだった。

　このような経緯で自分は、遺伝学上はアジア諸国の混血でありながら、東京でフランス国籍者として生まれ、幼稚園から在日フランス人の学校に通い始めた。わたしが今も国籍というものは流動的な属性に過ぎないと捉え、特定の国家への帰属意識が薄いのは、国家的な所在が不明瞭な父の姿を見ていたからだろう。

物心つく頃になると、彼が世界のあちらこちらに散在する家族と電話で話すときに口にする様々な言語の響きを聴きながら、「一体この人にはどんな世界が見えているのだろう」と不思議に感じた。同時に、「言葉とは文脈に応じて取り替えることができるものなのだ」という認識がうっすらと芽ばえたように思う。わたしの娘もまた、わたしや妻がその時々で日仏英の言葉を切り替えて使うのを見て、同じ感覚を抱いているのかもしれない。

サピア＝ウォーフ仮説

人間と他の生物を隔てているのは、高度に発達した神経系を有し、自然言語でコミュニケーションを行う点だ。だからこそ、たがいの意思を交わす会話や、感情を表現する歌が生まれた。一方で、口頭伝承によって集団的な記憶が物語や神話というかたちで受け継がれるようになったが、正確な記録が可能になるにはさらに言葉を記録する文字や媒体《メディア》の発明を待つことになった。

記録媒体を手にすることで、人間は現在という短い時間の枠をただ通過するだけではなく、過去と未来の時間座標のなかに位置づけて、時間的な地図を作れるようになった。それと同時に、人間集団が生息する地域ごとに、言語は多様になっていった。

19世紀ドイツのロマン主義言語学の系譜に位置づけられるヴィルヘルム・フォン・フンボルトは「言語の多様性は記号や音声の多様性ではなく、世界認識の多様性である」と表したが、それがインド＝ヨーロッパ語族の文化的優位性を説く上での表現であったことは、今から思えば興味深い。

この言語観は、20世紀の前半に活動した言語学者のサピアとその学生であるウォーフによって継承された。彼らは、ネイティブ・アメリカンの言語研究を行いながら、「特定の言語グループに属する人間にはその言語に固有の現実世界《リアル・ワールド》が立ち上がる」という仮説を打ち立てた。この仮説は多くの科学者に影響を与えたが、それはフンボルトが主張した差別主義的な文脈ではなく、むしろあらゆる文化を相対的に捉える視点を育んだ。

「サピア＝ウォーフ仮説」として知られるこの言語的相対論は、常に論争の対象となってきた。人類には進化の過程で獲得した「普遍文法」という生得的な言語構造が備わっているとするノーム・チョムスキーやスティーブン・ピンカーの生成文法の立場から批判がなされたのだ。言語的相対論は、文化的慣習から生じる言語的な多様性に注目するが、生成文法論は、そのような表面上の差異よりも、人類という生物種に備わった先天的な言語能力の構造こそが重要だとしている。

この2つの立場の論争は20世紀を通して、時には民俗学や心理学をも巻き込みながら展開されてきたが、いまだに最終的な決着はついていない。

言語が身体化される時

生まれてから幼稚園に通うまで、わたしは家で日本人の母と過ごしていた。父も家庭では日本語を使っていたので、最初の母語は日本語だ。東京にあるフランス人学校の幼稚園に通い始めてから初めてフランス語に触れるようになり、次第に言葉の意味は理解するようになったものの、積極的に口に出して話すのはそれよりも遅かった気がする。

その中で今も鮮明に覚えているのは、小学校に上がった初日に、はじめて教科書を渡され、簡単な読み書きを習って帰宅した時のこと。自分のなかで誇りと興奮の混ざった感情が、はち切れんばかりに膨らんでいた。

それは二人の少年少女のイラストと共に書かれた、「Voici Yves. Voici Natasha. Voici Yves et Natasha.」（これはイーヴです。これはナタシャです。これはイーヴとナタシャです）という、主語と動詞と対象語という文法の基本形すら入っていない、幼稚なフレーズだった。それでも、フランス語という未知の言葉で世界を記述し、表現する可能性を手にすることで、眼前に立ち込めていた霧が晴れるように感じたのだ。

それはまた、身近にはあったが、なかなか立ち入ることのできなかったフランス語という新たな「領土」へと分け入っていく能力の獲得を意味した。この感覚は、他のどんな遊びよりも大きな悦楽をもたらすものだった。

　そしていま、娘も、この時の自分と同じ学年に上がり、わずか数ヶ月でフランス語の文章が読み書きできるようになった。とても綺麗な字体で文章を綴《つづ》る娘の表情に、自分が彼女の歳の頃に抱いた高揚感が見て取れる。彼女が得意なのは、詩を丸ごと暗記して復唱する課題だ。覚えたての詩を、ときどき間違えながらも嬉々として暗唱する表情を見ていると、不思議な懐かしさに包まれる。

翻訳の不可能性

　言語的相対論と生成文法論に共通しているのは、言語こそが現実世界の認識に影響する、という言語中心主義的な考え方である。言語的相対論では、言語間の差異が多様な世界の認識方法を生みだすと考える。そして生成文法論においては、世界を認識するための文法があらゆる人間の認知構造に埋め込まれているとみなす。いずれの立場でも、言語的構造が身体的な知覚よりも優先して世界認識を担っているとされる。

しかし、どちらもあまりにも言語に偏重してはいないだろうか。むしろ言語そのものが、現実世界の組成《そせい》に影響されながら発達したとは考えられないだろうか。

自らの経験を顧みれば、生成文法論も言語的相対論の両者とも正しい、と思える。生成文法論の、特にピンカーの拠って立つ進化論的な側面から、言語獲得のための遺伝変容が自然淘汰を生き抜かせたとする立場には、生物進化という論理の筋が通っている。言語の種類や様式がどれほど多様であったとしても、地球上のあらゆる地域に生息する人間に言語現象が顕現しているのは、そのような能力が人の身体に先天的に備わっているからだというのは直観的だろう。

それと同時に、特定の言語にしか存在しない、固有の表現から生まれる感情や知覚の特異性が存在してもおかしくはない。人の認知を研究する分野では、個体のなかで主観的に立ち現れる感覚意識体験のことをクオリアと呼ぶ。それは自分の意識の中に生じる諸々の感覚の「この感じ」のことだが、たとえどんなに言葉を尽くしたとしても、完全なかたちで他者に伝えることはできない。人間にできるのは、複雑な感情と思考の流れを、言語という粗い網目の金型に流し込むことに過ぎない。わたしたちは、互いのクオリアの最大公約数となる言葉に想いを託しながら、かろうじて会話を行っている。

諸々の言語が、異なる風土から生まれたクオリアを翻訳する道具だとしても、異なる言語間で一対一の対応関係にマッピングするよう意味の翻訳を行うことは、原理的に不可能なはずだ。

漢字とアルファベットの混交

小学校に上がって、フランス語と日本語の両方で読み書きを覚えた頃だったと思う。ある日、わたしは「国」という漢字が、どうしてこういうかたちをしているのかと不思議でしょうがなくなった。しばらく考えて、母に自分の仮説を述べたのを覚えている。「これは玉が四角い箱に入っているということ？　玉っていうのは人間のたましいのことかな。みんなのたましいが箱に入っているのがくにという意味？」。その時の母の返事の内容は正確に覚えていないが、「そうかもしれないわね」というように、肯定も否定もされなかったことがとても印象に残っている。この時の推測は、漢字の起源説としては間違っていたことが後でわかった。それでも、字形に自分の解釈を試みる自由度があることに、強烈な面白さを感じた。この時が、今にいたるまで言葉の成り立ちに強い関心を持つようになったきっかけだったかもしれない。また、現実世界の構造こそがわたしたちの言葉をかたちづくるのだというイメージが芽生えた瞬間でもあった。

ふりかえってみれば、表音文字を使うフランス語で読んで書くという経験を最初に覚えたわたしにとって、表意文字としての漢字というものが新鮮に思え、それが故に魅惑されたのだと思う。フランス語が依拠するアルファベットは、現代では表音文字である。それ自体に意味を持たない文字で作られたフランス語の言葉は、全て恣意《しい》的に作られているという感覚が強くあった。なぜpied（足）は男性形で、main（手）は女性形なのか？　教師に聞いても、「そう決まっているからだ」としか返ってこないことに不満を覚えた。

アルファベットを使う言葉には、人が決めた人工的な組み合わせに意味が当てはめられていく。それに比べて、漢字は意味がその形態に現れており、どうしてそのようなかたちになったのかという来歴も埋め込まれている。わたしはそのうち、漢字の読みを覚えることに夢中になり、車やバスに乗って外に出かける時は、道沿いの看板や広告に書かれた漢字を読み解く遊びに没頭していた。

子供心に印象に残ったのは、「心」や「永」のように、一見すると左右対称にみえてその実そうではない、絶妙な視覚的バランスをもつ漢字たちだった。また、父方の祖父がつけてくれた漢字名に込められた意味にあれこれと想像を巡らすのも楽しかった。これは戸籍には登録されておらず、家庭のなかだけで使う「翰隆」と書く名前で、中国語では「ハンロン」、日本語では「よしたか」と読む。この字を見ながら、いろいろと疑問が噴出した。

最初の字は、なぜ「朝」という字と同じ偏なのか？　右にある「羽」は、飛ぶことを意味しているのだろうか？　「隆」の方では、姓であるチェンの漢字「陳」と同じく阜《こざと》偏だが、これは一体なにを意味するのか？

　自分の名づけの意味を問うことで、複数の文化のはざまで宙吊りになったアイデンティティをつかむヒントを、追い求めていたのかもしれない。このときは、漢字にひそむ呪術にも似た力に幻惑されていたが、フランス語にも、ラテン語源やインド＝ヨーロッパ祖語から脈々とながれる重層的な成り立ちがあることを知って喜んだのは、ずっと後にラテン語やドイツ語の授業を受けたときだった。それと、漢字も表意文字としてだけでなく、表音文字としても機能していることを理解したのも、ずっと後のことだ。

　フランス語と日本語の世界を往復している間に、アルファベットの文字が人格を持つように感じる、奇妙な共感覚が芽生えていった。共感覚とは、音を聴くことで色を感じたり、視覚によって匂いが引き起こされたりするような、異なる感覚同士が連関する心理現象のことだ。自分の場合は、たとえば「a」は、見るものを嘲笑う嫌なヤツ、「d」は気品が高い人、「e」は朗らかに笑っている女性、というように感じられる。この共感覚は現在も持続しているが、それがどうして生じたのかはこれまで分からなかった。考えてみると、もしかしたら、漢字の象形を認知する際に生じたクオリアが、アルファベットという表音文字の認知に転移したからなのかもしれない。

娘にも自分と同様に、洋名と和名があり、和名は日本語読みと中国語読みの二種類を付けた。今日、彼女が覚えたての文字や言葉を紙一杯に書き込んで遊んでいるのを見ていると、彼女もまた独自の言語認識を身に付けながら、自らの文化的アイデンティティを育てていくのだろうと想像する。

言語の意識と無意識の言語

自然言語を獲得することによって、人間の環世界はほかの生物と比べて飛躍的な変容を遂げた。言語は普遍的な基盤を持ちつつも、地域や風土などの環境の差異に応じて多様化していく。精神分析家のジャック・ラカンはいみじくも、人の無意識は言語のように構造化される、と表現した。彼はまた、「無意識は言語学の条件」であると同時に、「言語は無意識の条件」だとも書いている。ここで「無意識」という言葉を、「身体が言語に頼らずに世界を知覚する形式」と読み替えてみれば、言語と身体の関係性が、一方による他方の制御によってではなく、双方向のフィードバックを介して結ばれている状態をイメージできるだろう。そして、言語的相対論に拠って立てば、言葉とは、現実世界の現象を無意識から意識へと受け渡すための「受容体」として捉えられる。

受容体とは通常、外界や体内の刺激を神経系が受け容れ、情報として活用できるかたちに変換する細胞やタンパク質などの分子構造を指す。このイメージを言語に適用してみると、知覚された情報が言葉という受容体によって意識の俎上にあげられることで人間の環世界が立ち現れる様子が見えてくる。

たとえば、線香花火のように一瞬だけあらわれてすぐに消えてしまうものを見たときの印象は、日本語では「儚《はかな》い」という短い形容詞で表現される。おなじニュアンスのフランス語としてはéphémère《エフェメール》という形容詞が対応しているが、こちらは文語体で使う言葉であって、日常で口に出すには大仰だし、長すぎる。また、虫のカゲロウを指す言葉でもある。日仏両語に通じる人であれば、同時にこの二つの言葉が頭に浮かぶだろう。その時、言いやすい日本語で表現することを選ぶかもしれないし、または、あえて非日常性を強調するためにフランス語の言葉を使うかもしれない。

ひとつの現象に対しても、言語によって異なる言葉のそれぞれに、固有の認識の流れが伴っている。同時に、特定の言葉の発動につながる知覚の流れも並行しているのだ。

自然言語のハイブリッド

フランス国家は多様な民族によって構成されている。実際には移民に対する人種差別の問題は根深く、民族多様性という理想と現実の乖離はあるものの、どんな皮膚の色でも共和国の一員として迎えようという姿勢を自国の誇りとしてもいる。

わたしは、リセと呼ばれる日本に住むフランス人のための幼稚園から高校までの一貫校に小学校卒業まで通った。娘も現在、同じ学校に通っている。リセには、フランス以外にも50カ国以上の国籍の子弟が集まるコミュニティができている。ここでは様々な「言語のハイブリッド」が生じている。日本語、英語、アフリカ諸語、アラビア語、スペイン語、ドイツ語、中国語といった言語が、公用語であるフランス語と混ざりあってできた言語を話すこどもたちが多いのだ。

自分もまた、そうした同輩のこどもたちと一緒に、日本語とフランス語が奇妙に織り交ざった言語の環世界を生きていた。わたしたちは自由に言語のスイッチを切り替えながら、そのときどきの会話のリズムや感情のかたちに適合する言葉を繰り出すのだった。

片方の言葉しか話さない親たちが、わたしたちの混合言語による会話を耳にするとき、不思議そうな表情を浮かべていたことを思い出す。一部の厳格な親は、そのような喋り方が正しい言語学習を妨げると考えたらしく、友だちと一緒に叱責されたことを記憶している。それでもわたしたちは、自分たちだけの秘密の暗号を構築する面白さを、やすやすと手放そうとしなかった。異なる言語の領土をいったりきたりする自由な運動に、ある種の目《め》眩《まい》にも似た快楽を覚えていたようにもおもう。

今日、娘の話し方を観察していても、やはり日本語の会話のなかに自然とフランス語の単語が混ざったり、その逆にフランス語では知らない言葉を日本語で補完しながら話したりする。それと同時に、各単語が持っている語感を楽しんで、新しく覚えた言葉を何度も繰り返して歌にすることもある。さらには日本語とフランス語で音の似ている単語を見つけて、ダジャレを言ってケラケラ笑っていることもある。彼女やその友だちもまた、言語を固定されたものではなく、自由に操作できる対象として認識している様子だ。言葉が混じり合う混乱を、これからも楽しんでもらえれば嬉しい。

第二章　デジタルなバグ、身体のバグ

ゲーム言語との出会い

「日仏語」という混合言語が形成されるのと前後して、わたしはコンピュータゲームで遊び始めた。その頃、我が家にはパーソナルコンピュータが置かれていた。ＳＦ小説が好きな父親はもともとテクノロジーへの関心が高く、また８つ年上の兄にせがまれもしたのだろう、自分が４歳の時には自宅にＮＥＣ製のマイクロコンピュータ（マイコン）と、任天堂のファミリーコンピュータ（ファミコン）が置いてあった。わたしの最も古い視覚的な記憶の一つは、ブラウン管モニターに映ったファミコンのゲーム画面だ。

『スターラスター』（ナムコ、１９８５）という、擬似的な３Ｄ空間を宇宙船で移動し、敵を倒すアクションゲームだった。コントローラーの十字キーと二つのボタンを駆使して、画面のなかの分身である宇宙船を一人称視点で動かす。うまく目的を達成すると、未知のステージに突入する。はたから見れば、たったこれだけの因果律によって構成される、なんとも貧しい体験に映るだろう。それでも、粗いドットで描かれた点描画のようなスクリーンのなかに、無限にも似た空間の広がりを感じていたのだ。

その後も、放課後や休日には、色々なゲーム世界に入り浸っていた。『ドラゴンクエスト』（エニックス・チュンソフト、１９８６）や『ゼルダの伝説』（任天堂、’86）といったロールプレイングゲームでは、物語上の勇者になりきり、悪しきモンスターたちを倒しながら、人々の願いを叶えていく。『スーパーマリオブラザーズ』（任天堂、’85）のようなアクションゲームや『グラディウス』（コナミ、’86）などのシューティングゲームでは、超人的な身体性を持つ主人公や無限の弾倉を持つ戦闘機を操りながら、画面の中の穴に落ちそうになったり、敵が発射する弾幕に自機が当たりそうになると、現実の身体も仰け反ったり、鳥肌が立ったりする。

ゲームの世界は実世界とは切り離されているが、自分の身体感覚とは連動している。ゲーム世界の主人公が経験値を貯めて「レベルアップ」するたびに、自分自身の能力が底上げされた達成感を覚えるし、苦戦の末に「死んで」しまうと、微《かす》かな痛みが皮膚の上を走る。なにより夢中になったのは、ゲーム作品ごとにまったく異なる環世界が立ち現れることだ。ファミコンに差し込むカセットを換えるだけで、中世ヨーロッパ風の物語世界から近未来の宇宙空間へ瞬間的に移動することができる。

文学としてのゲーム世界

わたしは文学作品の醍醐味を知るよりずっと前から、コンピュータゲームの「文体」を噛み締めていた。コントローラーと同化した視神経と指先は、ゲーム世界のなかに投影されたキャラクターの身体とひとつの構造体をなす。そのうちに、気がつけば意識はキャラクターに憑依《ひょうい》している。そうしてゲーム世界の謎を読み解いていくうちに、制作者たち自身が経験してきたであろうクオリアの表現が、そこかしこに埋め込まれていることに気がつくのだ。登場人物のなにげないセリフに込められた強い信念のかけら、地獄の炎が燃えさかるステージの禍々《まがまが》しい美しさ、そして永遠にループする背景音楽の旋律にそこはかとなくただよう郷愁の念。ゲームのキャラクターになりきって、敵の理不尽な強さに打ちのめされ、成長の喜びに打ち震え、滑稽な展開にのけぞって笑い、そして仲間との死別に涙を流した。

こうやって思い返していくと、ゲームのなかに立ち現れる未知の環世界を吸収していく興奮は、異なる言語世界を開拓していく際に得られる悦楽と同質なのだと気づく。ゲームで遊び、学校で学ぶという日常の繰り返しのなかで、ゲーム世界の分身と自分の身体がフィードバックし合うループと、言葉をつかってしゃべったり文章を読み解いたりする行為は、構造的に相同していた。

「バグ」の幻惑

日本語とフランス語、覚える言葉の数だけ、アクセスできる感覚が増えていき、意思の疎通が容易になるというだけではなく、対話する相手から引き出せる知識も増えていく。

この時期、自分の「領土」、つまり認識できる世界が拡張されていく悦楽を知ったからこそ、自分は自発的に言葉を覚えようとしたのだと思う。新しく覚える言葉の一つ一つこそ、身体で体験したことを記憶にとどめるためのアンカーであり、未だ体験したことのない感覚へ至るための道標だった。

コンピュータのなかで描かれるゲーム世界にも「機械語」といわれる固有の言語があることを知ったのは、小学校に上がってマイクロコンピュータのキーボードに触れるようになってからだ。それまではただゲームで遊ぶという行為を通して読むだけだった対象を、自分で記述する可能性に気づかせてくれたのは、パソコン雑誌の巻末についていたプログラムのソースコードだった。「ＢＡＳＩＣ」という逐次処理型の言語で書かれた文字を画面に打ち込み、プログラムを実行すると簡単なゲームのなかで絵や音が動き始める。プログラムの論理の流れを順番に作動させることで、自分の思い描いた世界が立ち現れる！

　そのうちに、サンプルで学んだコードを切り貼りしながら、わたしは生まれて初めて簡単な映像プログラムを自作した。それは音楽とともに富士山を象《かたど》った背景から太陽が徐々に昇るというもので、元日の朝に誇らしげに家族に披露したのを覚えている。この体験を通して、文字を使って文章を書くことと、プログラムを介して表現を行うことで、等しく人に感情を伝えられるのだと知った。

　この過程で、幼心《おさなごころ》に不思議に思うことがあった。プログラムでは一文字でも書き間違いがあると全体が停止するか、意図していない挙動が生まれる。このエラーは一般的に「バグ」と呼ばれるが、ゲームでも時々発生し、画面が「固まっ」たり、通常ではありえない状態になったりする。前者のパターンでゲームが「バグる」と、それまでの進行が一瞬にして消えてしまい、とてつもない徒労感を味わう。同時にまるで世界そのものにヒビが入ったかのような、奇妙なクオリアが生じる。現実を支える地面がバラバラに崩壊してしまう恐怖と同時に、その裏側に潜む妖艶《ようえん》な別世界の入り口が開く興奮も覚えた。

　同時代の世界中のこどもたちもやはり同じ体験をしていたのだろうか。今日、「グリッチアート」と呼ばれる、バグの美的感覚を積極的に取り入れた表現形式が、ネット文化上で広がっている。まるでバグが生じたようにイレギュラーなノイズが乗った画像や楽曲に、自然の摂理の介入を見て取って慈しむ。こどもの頃、高熱を出すと決まって、ファミコンのディスクシステムの起動画面がサイケデリックな色彩に染まって無限ループし続けるという、「グリッチー」な悪夢を見ていた。

コンピュータの「デバッグ」

　英語の名詞「bug（バグ）」は「虫」を意味するが、動詞「bug」には人を困らせる、苛々させるという意味がある。19世紀末には、エジソンが機械の故障に対して「バグ」という言葉を用いていた記録が残っている。世界で最初のコンピュータ・バグは、プログラミング言語「ＣＯＢＯＬ」を開発した計算機科学者のグレース・ホッパーによって１９４７年に「発見」された。合衆国海軍の将校としてハーバード大学の計算機を扱っていたホッパーは、ある日機械が動かなくなってしまったことに気づき、真空管のなかから一匹の蛾の死骸を取り除いた。彼女はそれを日誌に貼り付け、「実際に発見された最初のバグ」と記録した。

コンピュータという機械に巣食う虫。それは自然発生するものではなく、人間のプログラマーが誤ったコードや論理の流れを記述することで生じるヒューマンエラーである。単純なミススペルによりコードが作動しないもの、無限ループに陥ってコンピュータのメモリが枯渇してプログラムを停止《クラッシュ》させるもの、誤った論理の接続によって想定外の状態を演算してしまうものなど、バグには多様な原因と結果がある。スマートフォンからパソコン、家電に至るまで、世界中のコンピュータを動かす基本ソフトウェアの多くはオープンソース、つまり誰に対してもコードが開示されており、世界中のプログラマーが現在も日夜開発を進め、バグを取り除いている。

バグを発見し、修正する作業は「デバッグ」と呼ばれる。文字通り、「虫を取り除く」ことを指す。その役割は、コードを書くプログラマーが直接担うこともあれば、プログラムの正常な動作を確認することだけに専念するテスターが行うこともある。デバッグの作業では、ただバグが発生したと報告するだけではなく、その再現性を発見することが求められる。バグを必ず発生させる手順を見つけてはじめて、プログラムコードの該当する箇所が効率的に発見できる。そうでないと、原因がわかりづらいバグが発生した場合、数千から数万行のコードの中から目視で間違い探しを行う羽目になる。逆に言えば、エラーの原因をいかに迅速に突き止められるか、ということがプログラミングの要諦となる。

身体的な「バグ」との遭遇

計算機の世界のバグに、ゲームのプレーヤーとして悩ませられながらも魅了されていた頃から、わたしの身体には別種のバグが発現していた。それは吃音《きつおん》という現象だった。ある言葉を発しようとした刹那、喉元まで出かかった言葉が声となって出てこない。無理に押し通そうとすると最初の音を連発するか、もしくは会話のリズムを外してしまい、無言で終わってしまう。これが、自分が物心つく頃から慣れ親しんできた吃音のプロセスだ。

吃音は一般的には「症状」だとされているが、その原因や程度は人によって大きく異なる。自分の場合は幸いにして軽度な方だったが、世の中には吃音が原因で対人関係がうまくいかず、就職ができなかったり、自死に至るケースもある。

いつ吃音が発現したのかを正確には思い出せないし、どうやって、なぜ吃音が生じるようになったのかもわからない。覚えているのは、10代のはじめの頃にはすでに日本語でもフランス語でも、どもりが発生していたということだ。その時は、いかに相手に自分の吃音のことを気づかれないようにするかに腐心した。恥ずかしい「弱点」を他者に悟られたくないという思いが強くあったことを覚えている。

　吃音というコミュニケーション上の問題は、こどもの頃から現在に至るまで、自分の身体に常に存在してきたが、そのことを人に話すことはなかった。しかし２０１７年の夏に、吃音の当事者研究を行う美学者の伊藤亜紗さんと仕事のチャットをしていた時、たまたま自分の吃音について説明をしたら、興味を持たれてインタビューを受けることになった。その時に伊藤さんから「隠れ吃音」という評定を受けた。ほとんどの人に気が付かれない程度にしか実際には吃音が顕在化していない、ということだ。わたしは、自分の吃音が周囲にバレていると思っていたので、この評価が自分の主観とかなりズレていることに驚いたが、伊藤さんの調査によれば、人によって、吃音のイメージも対処法も大きく異なるらしい。

　それをきっかけに吃音を意識の俎上にあげると、もしかしたら吃音は自分の思考のパターンをかたちづくるうえで、根源的ともいえる役割を果たしているのかもしれない、と思えてきた。

　たとえば、少年期から今に至る過程を振り返ると、自分の吃音への対処法が変化していることに気がついた。特定の言葉を発声しようとすると吃音が頻発するが、その他の場合では症状が軽減している。それは自然に軽減した場合もあれば、対処法を思いついて改善した場合もある。話している最中に、この後で吃音が生じるだろうという気配が察知されると、その予感の塊が到来する前にもっと口に出しやすい言葉が意識のなかで検索され、準備される。

「される」と受動態で書いているのは、この手順は意識的に行っているわけではなく、自分の身体に馴致《じゅんち》しきった、無意識に作動するプロセスが処理しているからだ。この無意識の流れでも対応できない時、たとえば言い換えの語彙が準備できなかった時には、難発《なんぱつ》が起きる。難発とは、意識のなかでは言いたい言葉が完全に「見えて」いるのに、喉から上に出てこない状態だ。

　この時、意識的に吃音を回避する方法もある。会話のなかで、難発が起きそうな言葉が到来する予感があるとき、直前にスーッと息を吸うことによって、まるで振り子を片側に揺らして反対側に向かう勢いをつけるようにすると、言葉が発せられる確率が飛躍的に増すことに気がついた。このテクニックは30代になってから編み出した比較的新しい「技」だが、吃音がより顕在化してしまうし、会話のリズムがわずかながらでも崩れてしまうので、自分にとっては苦肉の策である。それでも、言いたいことが言えるという意味では、新しい自由を獲得した気分だ。

　歳を重ねるに連れて、吃音との付き合い方が上手になってきたことの理由を推測してみる。おそらく、どういう言葉で自分がどもるのかという経験知が増え、そのため吃音の発生が察知しやすくなったことが挙げられるだろう。言い換えのために使える語彙が増えたことで、難発の予感が到来しても対処する余裕が増したのかもしれない。

　さらに言えば、周囲に自分の吃音を気付かれても気にしなくなった。面の皮が厚くなったといえばそれまでだが、別の理由もあるように思う。わたしは同じことを繰り返し話すのが苦手な性質で、自分の話に飽きると話を脱線させる悪い癖があるのだが、吃音はその場合のトリガーにもなっている。つまり、なにかを言おうとして難発が生じそうになると、別の言葉を使うのだが、そうすると別のテーマが会話に差し込まれることになり、脱線しやすくなる。もしくは、決まっているレールで運ばれてくる言葉を口にしないといけない、という思いが強迫観念となって緊張を生み、そこから吃音が生じる回路もあるのかもしれない。

　色々な理由が考えられるにせよ、吃音という、制御不可能な「他者」との対話の結果、選ばれた言葉が発話されるのだとすれば、それを積極的に受け容れた方が良いのではないか、というマインドセットがいつからか生まれたように思う。

吃音とともに培《つちか》う思考

日本では成人の１％、つまり１００万人ほどが吃音を持っており、厚生労働省では吃音を精神障害と分類しているが、その原因や治療は実のところ、まだよく分かっていない。こどもの頃は、自分の吃音を修正すべきバグとして認識してきたが、今となっては自分が物を考え、表現するうえで欠かすことのできない道具の一部だという感覚すらある。ある日、解決法が発見され、吃音がデバッグできるようになるとしたら、これまでせっかく吃音と共に培ってきた思考のパターンとリズムが崩れ去ってしまうのではないか、とも思える。

それはわたしの吃音が幸運なことに軽度なものであり、他者との意思の疎通に重篤な支障をきたしていないからでもある。先に書いたように、重度の吃音が原因で、周囲とのコミュニケーションがうまく図れず、非常に厳しい状況に追い込まれるケースもある。

他方では、よどみなくスラスラと喋れるようになりたいという思いも当然ながら、ある。今でも、人と話す時に、頭のなかでは伝えたい文言が浮かんでいるのに、コンマ数秒の吃音の葛藤のせいで発話に至らず、悔しい思いをすることがある。

だから、吃音がなくなれば良いと思わない日はない。その一方で、もしも症状がなくなってしまったらと想像すると、「最も身近な他者」がいなくなる寂しさをも感じるから不思議だ。時には邪魔で、摩擦を生じさせもするが、自分の意識だけではアクセスできない場所に連れて行ってもらえる。わたしにとっての吃音とは、いつのまにかそのような、共に生きる存在になっているようだ。

不可視の表現

コンピュータの世界では取り除かれるべきバグやエラーというものが、身体という生命的な次元においては、予想もしなかった価値を生む。物理的な不都合によって、自分を自分たらしめる創造のきっかけが生まれる。

このことに気づいてから、人と会話する時に過度に緊張することがなくなった。合理的に「正しい」答えを出そうとせずに、吃音のプロセスが繰り出してくる言葉をそのまま口にすることで、会話が予想しない方向に脱線していくのを楽しめるようになった。自分で制御できる範囲は少ないのだから、会話の相手と無意識に委ねてしまえばいい。そうすると、話し相手の微細な思考の動きに気づけるようになった。

　だから今日、娘がわたしに何かを伝えようとしてなかなか言葉が見つからず、もどかしそうにしている時にも、なるべくじっと待つようにしている。微小な沈黙の裏側で、彼女だけの言葉たちが生まれようとする密かな音に、耳を傾けている。そうやって、娘の精神がゆっくりとかたちづくられる情景を幻視しようとしていると、自分がかつて経験した言葉の記憶が想起されてくる。彼女の内なる思いの数々は、たとえ空気を震わせなかったとしても、彼女の心のなかでは確かに反響しているのを知っているから。

第三章　世界を作る言語

吃音というバグを抱えながら、少年のわたしはある時から書き言葉の世界に没頭した。それは執筆という、じっくりと時間をかけて完成させる表現行為を通して、言うことを聞かない身体から解放される感覚を抱いたからかもしれない。書くことによって、世界はただ受容するものであるだけではなく、自ら作り出す対象でもあるとわかったのだ。そして、世界を作り出す動きの中でのみ、自分の同一性がかたちづくられるのだということも。

詩の環世界

高校を卒業するまではフランス語で、アメリカの大学在学中は英語で、そして日本で仕事を開始してから今に至るまでは主に日本語で、思えばこれまで多くの文章を読み、そして書いてきた。

その結果、各言語のクオリアが混交してきた感覚がある。合理的な論旨を辿る論文は英語が読みやすく、書きやすい。エッセイや小説は日本語とフランス語が馴染み深いが、哲学の文章はフランス語が一番身体に合う気がする。日本の公教育を受けていないので、手書きでは小学生レベルの漢字しか書けないが、大人になってから一番多く書いてきたのは日本語の文章だ。

人生で最初に文章を書く訓練を受けたのはフランスの学校だったが、そこでは執筆行為が構造に従う技法であることを徹底的に教え込まれた。

たとえば、小学校ではまず、教師が読み上げるテキストを聞き取り、それを正確に書き取るディクテ（dictée、英語のディクテーションのこと）という演習を何十回もやらされる。フランス語では話し言葉と書き言葉の違いが日本語より多い。なかでも発音には表出しない無音文字（lettres muettes、「レートル・ミュエット」）が最も特徴的だろう。形容詞の係る対象語が女性や複数の場合、その形容詞の語尾には無音のｅやｓを書き足さなくてはならない。

たとえば、「彼女たちはきれいだ」を意味する文は「Elles sont jolies」となるが、最初の elles［彼女たち］（発音は「エル」）の s（複数形）、jolies［美しい］（発音は「ジョリ」）の e（女性形）と s（複数形）は無音となる。主語のエルは、単体の音だけでは単数か複数かは分からないが、続く「sont」（3人称複数形の être の活用、t は無音で発音は「ソン」）を聞き取った瞬間、複数形であることが判明し、そこから形容詞の表記もわかる。わたしは妙にこのディクテが好きだった。それは書き言葉が、吃音という不条理なノイズに乱される話し言葉とは違って、純粋な論理《アルゴリズム》の流れに従いさえすれば正しく作れるということに、ある種の安らぎを感じていたからなのかもしれない。

　学年が上がっていくと、詩や文学作品、そして哲学などの人文系の授業で、テキストを支えるルールについて学んでいった。詩の音律は、行の音節の数や、韻の反復パターンの構造によって分類される。

　たとえば、中世に確立し、20世紀まで実践の続いた「ソネ［sonnet］（ソネット）」の基本形は、全14行が2つの四行連と2つの三行連から成るという構造を持つが、音節の数は不定である。対して、「アレクサンドラン［alexandrin］」は1行が中間休止によって区切られる6音節ずつの半行、という構造を持つ。国語の授業では、こうした技術で作られた、ロンサール、コルネイユ、ラシーヌなど16〜17世紀の詩人たちの恋愛詩や王侯貴族に捧げられた讃歌などの作品を扱っていた。そこでは徹底的な構造分析がいつも最初で、意味内容の解釈は二次的なものとして教えられる。内容をどう受け止めるかは各人の自由であって、問題となるのは作家が何を志向して書いたのかなのだ。

詩や小説における描写は、情景を浮かび上がらせるための「語彙場［champ lexical］」の用法によって、特定のニュアンスと色彩を浮き彫りにする。語彙場とは、「同じ構文カテゴリに属し、意味の領域によってつながる名詞、形容詞と動詞の集合」と定義される。たとえば、「自然」の語彙場は森、枝、葉、巣、杉、ノコギリ、木こり、茂み、動物、岩といった関連する名詞の集合とされる。こうした視点で作品をスキャンしていくと、たとえば恋愛を語っているテキストなのに、死を暗示する「黒色」や「荒天」の語彙場が用いられていることから、悲劇的な恋の結末を予感させるという結論が導かれる。このような分析の課題の採点で重要視されることは、結論の内容ではない。結論に至るプロセスが構造分析の技法に従っているかどうか、である。

哲学の「正反合《せいはんごう》」と身体の「守破離《しゅはり》」

このことが最も端的に現れるのが、哲学の授業だった。フランスも、教育改革が近年いろいろと行われているので今日の現場はよくわからないが、自分が高校生だった頃には

「弁証法［dialectique］」の技術を教え込まれた。弁証法とは議論の技術のひとつであり、古代ギリシャのアリストテレスの時代より論じられてきたが、授業では19世紀に広まったヘーゲルの三枝弁証法に沿うかたちが取られた。

三枝弁証法は次のように、「正反合《せいはんごう》」の構造をとる。任意の設題を与えられたら、それに対してある主張を記述し［thèse《テーズ》、正］、次にそれに対する反論を書き［antithèse《アンティテーズ》、反］、最後にそれら二つのエッセンスを比較しながら、第三の項へと統合する［synthèse《サンテーズ》、合］。

ここでも、テクニック［技法］がメッセージ［意味内容］に優先するので、真逆の結論を書いた二つの論文が、同じ教師によって両方共高く採点されるということが普通に起こる。そこには、有意義な主張は明確な構造の上にしか宿らないという強い現実主義の思考がある。同時に、この技法を習得した者のみが良質な市民たりえるという、選民主義的《エリティスト》な近代西洋の思想が表れている。

正反合の形式を学習しながら、わたしは対照的な別の概念のことを思い出していた。10代を通して、わたしは日本とフランスで剣道の稽古に通っていた。道場で習った教えのなかに、「守破離《しゅはり》」という考え方がある。既に定まっている型《かた》をひたすら守ることで初学の域を破ることができ、その反復を通してはじめて、自分に固有の境地へと離れることができるというものだ。「守破離」は茶道から生まれたと言われ、後に武道や諸芸能に伝播していったことからもわかるように、あくまで身体的な所作と実践にまつわる考え方だ。

それに対して、フランスの初等から高等教育に見られる徹底した構造へのこだわり、そして弁証法の「正反合」という技法は、文章の読み書きで考えを表すという、理知的な作業を対象としている。武道における型は、教科書を読んで理解するものではなく、師の示す動きを自分の身体で追跡《トレース》して、ひたすら身体を馴致させていくものだ。一方、正反合を学ぶ際にフランスの教師が教えるのは、あらゆる設題に対して論を構築できる方法論であって、内容は定まっているわけではない。

考えてみれば、守破離と正反合という二つの考え方は、真逆のベクトルを向いているように思える。武道における型とは、具象化された意味内容であり、自らの身体に宿し、あくまでも主観的に経験されるものだ。それはいくら理知的に取り扱おうとしても、身体に流し込まなければ意味をなさない。対照的に、正反合という論理の型は抽象化された構造であり、それはあらゆる具象化された事物に適用できる汎用的な共通言語《プロトコル》である。守破離においては、当事者の身体という主観から出発し、代々受け継がれる型の反復を通して、そのうち新たな型が自然発生することを期待する。正反合では逆に、理知的な意志の力によって個別の事象から普遍的な価値を抽出し、その次の展開へ導こうとする。

こうしてみると、ヨーロッパ的弁証法と日本的武道の世界認識法はそれぞれ、かなり異質な環世界を生成している。これは文化ごとの形成過程で使用されてきた文字の違いからも考えられるのかもしれない。表音文字であるアルファベットには、それ自体に意味は立ち現れない。無意味なブロックをいくつも積み上げることを通して、ようやく分節化された意味をもつ一つの単語が現れる。文章を組み立てる際には、単語の連なりをつなげる論理という接着剤が必要不可欠であり、文章の強度を支えるためには糊《のり》の粘着度が決定的に重要となる。

　表意文字の漢字では、一字を記した瞬間、そこから一気にたくさんの意味が噴出する。書道のように、一字を大書すれば、そこに多様なイメージを重層的に見立てられる空間が出現する。わたしも幼い頃より漢字の呪術的でさえある力に魅了されてきたが、漢字を使って日本語の文章を組み立てるようになるのは、もう少し後のことだ。

　その頃に漠然と小説家か建築家になりたいと夢想していたのは、言いたいことがうまく口から出てこない、何が出てくるかわからない吃音というエラー発生装置を身のうちに抱えていたことも影響していただろう。10代の頃の自分には、執筆という理念的な世界の営為は、現実世界からの逃避先《アジール》として映っていた。

　リアルタイムな反応を強いる身体的コミュニケーションの世界と異なり、自分のペースで時間をかけて記述することは、それ自体が大きな安らぎの源泉だった。書くことによって本来の自分を表現できると考えていたし、ティーンエイジャーの脆いアイデンティティを支える大きな助けとなっていたのだと思う。

パリからの「強制送還」

フランスの高校生にとって、高校卒業と同時に大学入学国家資格であるバカロレアの取得に備える勉強が、人生で迎える最初の難関として立ちはだかる。バカロレアにはＬ（littéraire［文学］）、ＥＳ（économique et social［経済と社会］）、Ｓ（scientifique［科学］）の3種類のコースがある。高校進学時に振り分けが決まっているのだが、高校3年時には哲学の授業が全てのコース共通で必修となる。近年の日本政府の方針では、人文系の学科目に対して冷ややかな目線が向けられているが、フランスなどのヨーロッパ諸国では16世紀の頃より、諸科学を統合して人文知［humanities］と称してきた歴史背景がある。職能や専門学科がいくら細分化しようとも、同じ市民同士で議論を交わすための共通言語を習得することが重要視されている。

それでも、自分が進んだ科学系は数学や物理を専攻するので、同じコースの学生たちの間では、哲学の授業はひどく難解で退屈なものだという先入観が共有されていた。ただ自分としては、逆に自然科学と同じ論理性をもって言語と向き合う方法が学べるのではと、うっすらと期待していた。

　ここで少しだけ回り道をしよう。実は中学から高校２年までをパリの学校で過ごした後に、高校３年時にロサンゼルスに引っ越すことになった。パリ在住の最後の年となった高校２年の時に、父の配属がロサンゼルスになり、両親は渡米し、わたしは８歳上の兄と共にパリに残ってバカロレアに備えるつもりだった。しかし、というか、案の定というか、親の監視から自由になった高校生は盛大に学校をサボりはじめ、映画館や美術館に足繁く通い、友だちの家に入り浸っていた。そして、当時所属していた剣道の道場で稽古に精を出し、試合出場に注力するうちに、勉強が全く追いつかなくなり、悪友たちと仲良く揃って落第勧告を受けてしまったのだ。それまで学業が順調だと信じていた両親は烈火の如く怒り、落第生は自由のパリを離れてロスの親元に強制送還されたのだった。

　しかし、当時のフランスの奇妙な制度が幸いして、留年を免れ、ロスのフランス人高校の最終学年に進学した。その制度とは、高校１年時と３年時で点数が足りなければ即刻落第、留年が決まるのだが、なぜか高校２年時なら落第勧告で済むというものだ。そうして入学したロスのフランス人学校は私立校だったので、パリの公立校とは違って超少人数で授業が行われた。科学系コースでは５人だけ、家庭教師のように手取り足取り教えてもらったことで、遅れていた勉強をすぐに取り戻すことができた。環境が変わるだけでこれほど勉強というものに向き合う姿勢が変わるのかと、自分のことながらも大変驚かされた。

プトトン先生との出会い

　ロスの高校の担任だったドミニク・プトトン先生は当時、まだ20代後半の若き哲学教師だった。幸運なことに、彼は古代から現代に至るまでの哲学的概念の歴史を学ぶ楽しさを、実に軽妙な授業スタイルで教えてくれ、同時に勉強というものの深い次元をも垣間見せてくれる優れた教師だった。彼の指導のおかげですっかり哲学の課題にのめり込んだわたしは、親に初めて買ってもらったパソコンでインターネットに接続し、教科書に書いてある文献について調べながら、論文を書き上げることに夢中になった。

　哲学という言葉はphilosophyの訳語だが、明治時代の西周《にしあまね》はこれにもともと「希哲学」とあてていた。後ろのsophiaは知識を意味し、頭のphiloは「好む」という意であることからもわかるように、好奇心や知ることの純粋な喜びを探求する行為が広くフィロソフィーと呼ばれてきたのだ。プトトン先生はまさに希哲学の教師として、ただ知ることだけではなく、その背景にある喜びや面白さの次元を同時に教えてくれたのだった。

哲学の課題は、ある種のゲーム性を帯びた作業だった。たとえば「芸術に人間は何を求められるのか?」という、まるで禅の公案のように短い設問に対して、10ページほどにわたって、先人たちの考えを引用しながら弁証法の流れに沿って章立てを構成し、最後に結論を述べる。すでに学問の歴史に刻み込まれた哲学者たちの概念を調べ、それらを接合して初めて自分の主観的な考えを導入するのだ。この規則的な行為が、ちょうど良い自由度に設定されたゲームのように感じられた。

ここで挙げた芸術の問題でいえば、次に示す流れで書ける。

まず、導入部分で設問を解題し、人間と芸術の関係性というテーマを立てて、「芸術の効能」について考えることを宣言する［設題］。そこでカントからマルローまでを引用しながら、宗教芸術からポップアート、そして近現代の技術至上主義という歴史的な流れを追い、芸術が人間社会に果たした効能の変遷を分析する［正］。

次に、フーコーが考察した「非合理の排除」の論理を援用しながら、近代以降に感情が経済的対象として扱われるようになったことを示す。その状況では、「美術の社会的効能」という客観的な視点の導入が、芸術が本来扱ってきた主観的な価値を捨象《しゃしょう》してしまうことを指摘する［反］。

最後に、速度と快適さの論理が支配する現代社会において、逆に芸術という観念が人間にどのような変容を求めているのか、そのことこそが問われている、と結語する［統合］。

以上は、実際に自分が高校3年時の最後に書き、フランスの高校では異例な20点（フランスでは20点満点方式）を取った論文の骨子だ。

プトトン先生は、赤い採点メモで、論旨の曖昧な部分を指摘し、明晰な部分を評価してくれただけでなく、たくさんのジョークも書いてくれた。なかでも、論文の氏名表記欄に書いたわたしの名前に赤ペンで追記し、Dominique Chenを「Dominique [est dé] Chen [né!]」（ドミニク・エ・デシェネ）と書いてくれたことが心底嬉しかった。これはわたしの名字であるChen（フランス語ではチェンともシェンとも読める）と「se déchaîner」という動詞（鎖から解き放つ、暴れまわる）をかけたダジャレで、直訳すると「ドミニクは鎖から解き放たれた！」になる。

なかなか原語のニュアンスを意訳するのは難しいのだが、あえて書いてみると「ドミニクが大暴れしてる！」という、くだけた感じになる。

そしてその下にはプラトンの洞窟の比喩と掛けて、「君は今、縄を解かれた囚人のように、哲学者になろうとしているのか」というメッセージが添えてあった。洞窟のなかで手足を縛られた囚人は、入り口にかかげられた松明の火によって洞窟内に映る外の世界の影を実像と見誤っている。哲学者プラトンが、世界の事象には実体があるが、人間に見えているのは影に過ぎないということを説いた寓話だ。哲学の目を鍛えれば、世界の実体に近づいていける。君もその道を辿るつもりはないか、という師からの誘いだった。

　書かれた意味内容ではなく、構造に十分な強度があれば、たとえ意見が異なっていてもコミュニケーションの回路が開ける。そして、アジア文化を背景に持つ他民族系である自分のような学生も、同じフランス語文化圏の成員として評価されるということをプトトン先生は教えてくれた。アジアの出自とフランスの教育の間でアイデンティティが揺らいでいたこの時分のわたしは、彼の激励の言葉に救われる思いがした。

　彼の授業では、「宗教」や「信仰」を意味するreligio《レリギオ》というラテン語には「ふたたび結ぶ」という意味があることも教わったことを覚えている。その意味では、論理の力によって自分という存在を構成するバラバラなパーツを束ねてくれる哲学の方法とは、まさにわたしにとって「宗教」的な力さえ持ったのだ。

　後には、「正反合」の理知性への過信を捨てて、再び身体の「守破離」に突入することになるのだが、この時に抱いた「表現行為が自己のアイデンティティを創発する」という実感は、今に至るまで自分の奥底で脈打っている。

非言語の表現世界へ

　無事、バカロレアに合格した自分に、プトトン先生はパリで哲学を本格的に勉強する道を勧めてくれた。そこでパリのソルボンヌ大学の哲学科に入学申請を送ったところ、合格通知を受け取った。しかし、先述した哲学の論文で対象とした芸術、特にコンピュータを用いた表現について学ぶことにも、同様に心を惹かれていた。

　そこでSATというアメリカの大学進学のための共通試験を受け、それまでコツコツと作り溜めていた写真やCGの作品をポートフォリオにまとめ、カリフォルニア大学ロサンゼルス校（UCLA）のデザイン／メディアアート［Design/Media Arts］学科に入学申請を送ったところ、合格することができた。フランスに戻るか、アメリカに残るかで相当に悩んだ挙げ句、フランスではコンピュータ表現をアメリカのレベルでは学べないが、アメリカでも哲学は学べる、という結論に至って、思い切ってロサンゼルスでの生活を続けることにした。

　UCLA入学の報告をした時のプトトン先生の残念そうな、寂しそうな表情は今も忘れられない。自分としてもなぜそれまで履修していた理系の勉強や哲学ではなく、芸術領域という未知の選択肢をとったのか、今となってははっきりと思い出せない。それでも、この背景には、こどもの頃からゲーム機やコンピュータなどのデジタル機器に慣れ親しんできたことがあり、それが大きな後押しになったのだと思う。情報技術で遊ぶ側から、今度は作る側に移るという考えに単純に興奮したのだ。それと同時に、哲学の最終課題で導き出した「芸術に人間は何を求められるのか？」という問いに真に向き合うためには、自分の手を動かさなくてはわからないだろう、と朧《おぼろ》げながら考えていたようにも思う。なにより、哲学の論文を書きながら感じたことは、言葉でしか記述できない事象もあるが、言葉の網からこぼれ落ちる事象もまた、世界に満ち溢れているということだった。

第四章　環世界を表現する

世界を標本化する

デザインと芸術の学科に入学する下地となった経験があった。10代のはじめに没頭していた、ある遊びだ。ある日、父親が翻訳の仕事のためにパソコンとスキャナーを購入してきた。父が仕事で使う合間に、銀塩カメラで撮ってきたフィルムを現像に出し、写真をスキャンして、コンピュータで加工してプリンターで印刷するという行為に、いつしか熱中するようになった。

当時、使っていたソフトのPhotoshop《フォトショップ》は、現代では画像編集の代名詞になっている。その時に使っていたのはスキャナーに付随した無料版で、バージョンもまだ浅く、現在の最新版と比べると限定的な機能しか付いていなかった。それでも、画像を好きなかたちで切り抜く、複数の画像を異なるレイヤーに分けて合成する、タイポグラフィを追加する、といった基本的な機能は、今とほとんど変わらない。飼っていた猫や学校の友人、近所の公園や都市の風景、自分で描いた落書きなど、身の回りの被写体の写真を片っ端からスキャンしていき、非現実的な組み合わせ方を手当たり次第に試した。別に誰に頼まれたわけでもなく、なぜそんなことをしていたのかは今となってははっきりと思い出せない。それでも、人知れず作っていた奇妙な「作品」もまた、一種の「言語的能力」として、自分の世界の見え方を押し拡げてくれる作用があったのだと思う。

この時の発見は、世界の一片をカメラのフレームで切り取ると、コンピュータの上で操作可能な表現の素材に変換できる、ということだった。アルファベットや漢字などの言葉の「パーツ」は、既定の基本ルールを構成していて、コミュニケーションを図る際にはその制約を守らないといけない。しかし、カメラとスキャナーとコンピュータを使えば、自分だけの視覚的な「文字」が創り出せ、それを基にして編む独自の表現を人に伝えられる。言語の世界でも、新しいコンセプトを作ることができる、と気づくのはもっと後のことだが、この頃は画像を編集することで、自分だけの表現の「素材」を作り出せるという圧倒的な自由に突き動かされていた。

世界を編集する

デジタル画像処理に没頭するより前に、「世界を組み換える」ことの愉しみを最初に教えてくれたのは、東京のリセにいた頃に美術を担任していたブール先生の授業だった。男勝りで強面なブール先生は、いい加減な生徒には容赦なく酷い点数を叩きつける怖い女性だったが、真摯《しんし》に課題に取り組んでいる生徒に対して時折見せる優しい笑顔が印象的な人で、わたしは彼女の出す課題が大好きだった。その中でも、特にコラージュとフロッタージュの授業に熱中していた時のことを今でもはっきりと覚えている。

コラージュの課題では、好きな雑誌や新聞紙、本などから画像を切り抜き、一枚の画として構成することを学ぶ。家にあった週刊誌、ゲーム雑誌、科学雑誌などから、人物のポートレートや建築物、惑星など、さまざまな対象の写真を切り抜いて、ポスターサイズの画用紙の上で合成する作業には、時を忘れるほど没頭した。

フロッタージュの宿題は、薄い半透明の紙を持って街に出て、凹凸のある物体の上に紙を置いて鉛筆で擦ることで、その物体のかたちを紙に「転写」したかのように浮き上がらせる、というものだった。この課題を受けて、カバンに鉛筆と紙を入れて、自転車で近所を駆け巡りながら、街中で見つけた様々なパターンの壁、マンホールの蓋、木の幹や葉っぱ、家具や建具の表面などを擦り取り、そうして集めた「標本サンプル」を重ね合わせながら、一枚の画として完成させる。

　普段生活している都市の構造も、建物や家具も、環境のなかにある物のほとんどは既にかたちが決まっていて、自由に組み換えることができない。しかし、環境を平面に写し取って、素材に変換することで、自由自在に世界を再構成することができる。既に体系化されている言語を学び、それで世界を表現することでも環世界は拡げられる。だが、紙と鉛筆、もしくはカメラやスキャナーといったデジタルな道具を使って表現の素材から作り出す行為には無数の組み合わせがありえて、さらに果てしなく、尽きるところがない。

　一方的に遊ぶだけだったビデオゲームの世界が、プログラミングという言語を学ぶことによって自ら構築できる対象へと変化する。同じように、所与のルールセットに従った表現から、表現の道具を自ら作り出すことへの移行によって、日常の現実を異化できる。「線は生きている。生きて呼吸する線を描きなさい」とも教えてくれたブール先生は、表現のなかに行為者の生命的なパターンが映し出されることを伝えようとしたのかもしれない。自由な発見を促す彼女の授業を受けていなければ、美術の授業はただ先人の確立した技法を機械的に模倣する退屈な体験になっただろう。彼女の課題は学校の外でも自分のなかで生き続け、わたしは勝手に周囲の環境を写し取り、組み換え続けた。家族や友だちも奇異な目でその作業を見ていたが、別にその理由を説明する必要性も感じなかった。

　そのうち、父が世界中に離散した家族と通信するために買ってきたモデムでインターネットに接続しはじめた。父のいない間にネット空間の探索を開始したわたしはまもなく、自分のように画像編集に勤しむ同好の士が地球のあちこちに点在することを知った。ある日、デジタル画像を用いた創作物をキュレーションするウェブサイトに、なにげなく投稿した「作品」がトップページに掲載された時には、言葉を使わなくてもコミュニケーションが行えるという実感を強く抱いたのだった。

描かれた手でもうひとつの手を描く

　20世紀の初頭にフロッタージュという手法を編み出したマックス・エルンスト、コラージュの技法を推し進めたハンス・アルプやクルト・シュヴィッタースらダダの前衛芸術家たちや、写真を合成して作品を作ったマン・レイやモホリ=ナジ・ラースローのことを知るのも、マグリットやダリといった誰もが知るシュールレアリスムの絵画について詳しく調べるようになるのも、大学に入ってからのことだった。

入学してすぐに、学科の作業室に備えられた高速ネット回線に接続して、その時々で見知った表現者たちの名前を検索することに明け暮れるようになった。それから図書館にこもって、古今東西の表現者たちの作品集を貪るように観続けた。そうすることで、自分自身がなぜこの奇妙な行為に魅入られるのかという謎に対する答えが得られるように思ったのだ。

あたかも17世紀の博識者アタナジウス・キルヒャーの驚異の小部屋［Wunderkammer］のように、オンラインとオフラインでアクセスできる限りの絵画や音楽、映像の作品の知識を収集し、脳内とハードディスクに溜め込んでいった。それでも、「なぜ自分は表現行為を行うのか」という自問への答えはなかなか見つからなかった。それどころか、霧はさらに深まるばかりだったし、その時にかき集めた情報のほとんどが今となっては雲散し、もはやぼやけてしまっている。

その代わり、今も身体的な手応えとして残存しているのは、大学の実践課題を通して積み重ねた表現行為の手触りである。ある時はスーザン・ソンタグの写真論を読みながらピンホールカメラを自作し、別の時には３ＤＣＧアニメーションをモデリングしながら実写映像を撮影した。色彩の授業ではジョセフ・アルバースのローコントラストな抽象絵画に倣いながらアクリルペイントをひたすら塗り続けたし、メディア考古学のレポートではキルヒャーの業績をまとめたウェブサイトを制作した。「出力」という出口を与えられて初めて、見聞きした芸術家たちの表現が体内に染み込んでいった。

　このとき、M・C・エッシャーの有名な『Drawing Hands』という作品の「描かれた手がもうひとつの手を描いている」画のように、表現を読み込むことと自ら描き出すことは構造的に結合《カップリング》している、ということを実感した。

「自分だけのパターン」が顕《あらわ》れる

　作りながら観て、模倣しながら実験する。この循環を実践する生活のなかで、わたしや周囲の学生は少しずつ、各自のスタイルを萌芽させていった。

　固有の署名のように、繰り返しさまざまな場所に現れる、微かな本人のパターン。たとえば、ある人はいつも微小なグラフィックの要素を細かくつなぎ合わせ、別のある人は特定の中間色を多めに使用する。また別の人は、画面いっぱいに長方形を引き伸ばす、といったクセを見せる。自分の場合は、文字を分解した小さな図形でいくつかのモチーフを作り、それらを大量に複製して画面を構成するやり方を何度も繰り返していたことを、クラスメイトに指摘されて気づいた。それはほとんどの場合、意図的に築き上げた様式としてではなく、何をやっていても無意識のうちに、反復的に表れ出てしまうものである。ある瞬間に、「自分だけのパターン」がはじめて意識の上に浮かび上がる。だから、ロールモデルを明確に持っている初学者ほど、当初は稚拙《ちせつ》であっても、模倣を繰り返すなかで、対象と自らの差異をあぶり出す。そこから固有のパターンを獲得し、世界を表象するための「言語」を構築していく。ここには、外部から「読み取ること」と、自ら「書き出すこと」の興味深いシンクロニシティ［共時性］が見て取れる。これは、デザインやアートなどの視覚表現に限定されることではなく、文章の読み書きや、その他一切の表現形式にも通じて言える。

自然言語の領域では、母国語や外国語を習得することで、世界を独自の視点で記述し、他者に伝える能力を獲得する。この学習行為によって、自らが認識し、表現できる環世界の領土が押し拡げられたり変形したりする。そして、世界を記述するための「言語」を自ら創作することによっても同様に、環世界は拡張されると言える。

「領土化」のメタファーに沿えば、未開拓の土地にはじめて鍬を入れて、種子を蒔いて作物を育てることで、その場所が自分の認識世界に組み込まれるというイメージが浮かぶ。ここでいう「言語」とは、言葉のように、言語学的な意味での新しい用語や概念の体系でもあるし、視覚芸術や音楽のように非言語的な媒体《メディア》を用いて作られる作品や、プログラミングのように人工言語によって作り出される相互作用の場を指すこともできる。

それぞれの環世界言語をつくる

「言語」を新たに作るということは、換言すれば世界を認識する「ルール」を作り出すことである。サピア＝ウォーフが唱えた言語的相対論とは、自然言語を対象にして、自然言語の数だけ異なる世界の認識論が存在すると考える立場だった。

　実際に、自然言語の総数は驚くほど多い。世界中の少数言語を採集する『Ethnologue: Languages of the World』〔SIL International, 2019〕によれば、今日７１１１もの異なる言語が話されていることが確認されているという。既に消滅した言語を加えれば、これまでにつくられてきた言語の数はさらに膨大になるだろう。同時に、消滅危惧言語の研究者らは、２１００年までには現存する言語の50%から90%が消滅すると予測している〔The Cambridge Handbook of Endangered Languages. Cambridge University Press, 2011〕。

　ここで「言語」という概念の射程を、自然言語に限定しないで、あらゆる表現行為を包含するものとして捉え直してみよう。すると、途端に世界の密度が高まって見えてこないだろうか。広く「創作」と名付けられるあらゆる営為の数々を、表現者が感知した「新たな環世界を認識するための言語構築」とみなせば、世界は表現の数だけ「異世界」で溢れているとも言える。有史以来、有名無名を問わずに創作された表現作品――絵画、彫刻、楽曲、演劇、ダンス、映像、ゲーム、ソフトウェア、その他あらゆる芸術の様式――が、およそ一人の人間の一生のあいだでは探索できないほどの数に上ることを思うと、目眩を覚える。

特定の表現者のスタイルに親しむということは、その人間の世界の認識の仕方を追体験することであり、作者が生きた環世界に入り込むことでもある。そのようにしてあらゆる人が、他者の環世界を訪れながら、そこから自らの認識論を構築する糧を得ている。

他者の表現に接触する時には、そこに現れる環世界の構造が自分の世界認識に染み込んでくる。このように考える時、表現行為とは一方から他方に情報を伝達し、同質化を迫る運動ではなくなる。表現行為は、決して作者のうちに完結しない。そうではなく、受け取り手が表現された領土を自由に探索し、そこから新しい価値を自らの領土に取り込む運動を通してはじめて、成立するのだ。

クリエイティブ・コモンズの運動

わたしが大学に在籍していた頃、高速なインターネット回線が家庭に普及しはじめると、著作権の侵害が社会問題になった。作者や権利者の許可を得ずに、大量の楽曲や映像の作品がネット上にアップロードされはじめたのだ。当然、そのなかには悪質なユーザーが違法に他者の権利作品をアップするケースが頻発した。

それと同時に、作者のなかには、いちいち許可を出さずとも多くの人に作品を知ってもらいたいと考える人も出てきた。インターネットという新しい技術による社会基盤が、現行の社会のルールと摩擦を起こし始めた瞬間だった。

この時、わたしはグラフィックや映像の作品をつくる学生として、著作権について学んでいた。そして、ちょうど卒業年度になった頃に、「クリエイティブ・コモンズ」という運動が登場したことを知った。

「創造の共有地」と直訳できるこの取り組みについて調べてみると、ローレンス・レッシグという憲法学者が有志の法律家やエンジニアたちと設立したＮＰＯ団体で、インターネットの時代にふさわしい著作権の在り方を提案しているという。レッシグいわく、現行の著作権法はインターネットを想定していない旧い制度であるため、インターネットの潜在的な可能性を阻害してしまっている。そこで、現行法を遵守しながら、作品の作者みずからが権利の一部を不特定多数のユーザーに対して予め許諾するための仕組みを提案した。

現行法では、作者が特別な申請をしなくても、自動的に著作権が作品に付与される。すると、作者が内心で許容していたとしても、他の人がその作品をダウンロードして使うことは違法となってしまう。クリエイティブ・コモンズ・ライセンスという仕組みは、ネット上で作品を公開する人が、自分自身の作品に付与することで、誰でもその作品を自由にコピーしたり、違う作品の一部として使えるようにするものだ。

この考え方は自然と腑に落ちた。作者としては当然、自分の制作した作品に対する正当な対価は得たい。ただ、自分の成すこと全てが、それ自体で対価の発生する「作品」だというのにも違和感がある。

もともと著作権は一定期間が過ぎれば失効して、作品は社会全体のものになるという思想に基づいていた。しかし、18世紀イギリスではじめて著作権法が制定されて以来、３００年のあいだで、著作権の保護期間は当初の「申請後14年」から「作者の死後50年から70年」と、肥大化の一途を辿ってきた。背景には、映画や音楽のライセンスビジネスの産業が政治に圧力をかけて、保護期間を引き伸ばしてきた経緯がある。しかし、一部の私企業の利益のために、文化の力学を捻じ曲げても良いのだろうか?

こどもの頃からインターネットを表現と学習の場としてきた者としては、創作とは他者との関係を生みだす契機なのだと認識していた。大学卒業後に東京のメディアアートセンター［NTT Inter Communication Center］で働き始め、その映像アーカイブの制作を行った際に、全ての映像にクリエイティブ・コモンズ・ライセンスを付けて公開した。誰でも、ただ映像を視聴するだけではなく、そのデータをダウンロードして新たな映像制作に活用できるようにしたのだ。

その後、日本におけるクリエイティブ・コモンズの支部を設立し、今日までその普及活動に携わっている。現在では世界中で14億以上の作品やデータにクリエイティブ・コモンズ・ライセンスが付いて公開されている。アーティストから官公庁に至るまで多様な主体たちが、自分たちの表現が他者によって活用されることを積極的に望んでいる。

クリエイティブ・コモンズに関わり、創始者のレッシグたちと活動を共にするなかで学んだのは、法律や技術といった社会的なシステムもまた、わたしたちの環世界を規定する「言語」であるということだ。所与のルールを疑い、よりよい定義を考え、かたちにする。言ってみれば、それは社会的規模での表現といえるだろう。

そして、いつからか、インターネットは真新しい文化を作り上げたのではなく、むしろその登場までは目に見えなかった文化の力学を可視化したのだと考えるようになった。インターネットは、現実の物理世界とは異なる豊かさを持つ、情報の環世界である。そこでは、ささいな一言や一枚の画像、一片の映像のような「微小な作品」に触発され、無数の見知らぬ人々との表現の連鎖が続いていく。

こどもの世界の学び方

おもえば、表現とは芸術の作品のなかだけに認められることではない。日々の、家族や友人と交わす他愛のない会話のひとつひとつにも、わたしたちが互いの環世界に触れ合う契機が隠されている。特に娘が生まれてから、このように考えることが増えた。表現者たちの作品を体験することよりも、娘がその真新しい感覚を使って周囲の世界にどんどん分け入っていく様子をかたわらで見守る時間が増えたからかもしれない。

娘と話していて、彼女が使う言葉の初々しい語感を聴く度に、自分のなかでその言葉の意味が再定義されるのを感じる。彼女は、世界に対する理解がひとつ増えるたびに、同時に新しい表現の術を獲得していく。そんな姿を眺めていると、もう自分では忘れてしまっていたこどもの頃の「世界の学び方」を再び生きなおしている思いがする。

そうしてこどもの環世界に戻って、彼女の問いに答えたり、逆に問いを投げかけたりする。それは、彼女自身の環世界がかたちづくられる風景を目撃することで、自分の経験の古層が引き剝がされ、彼女とわたしに固有の文脈《コンテキスト》が育つ時間でもある。

彼女がわたしとの会話から何を学び取っているのかは、わからない。それでも、彼女の身振りや言葉のひとつひとつは、たしかにわたしの認識の仕方に微小な影響を与えていく。同時に、自分自身の微細な行為も、彼女の世界認識に影響することを思うと、果たして彼女の心にも自分が感じているような喜びが生じるだろうかと、すこし不安な気持ちにもなる。わたしにできるのは、その不安を抱えながらも、彼女の自律的な学びに少しでも寄与しようとすることだけだ。

第五章　場をデザインする

インターネットという情報の海に没入した学部生の頃、他者の作品は自分の表現の素材なのだという実感が芽生え、自分自身の表現も他者の創作の糧になりえると、自ずと考えるようになった。言葉を紡ぎ、表現を行うことで、世界や他者との関係が取り結ばれる。そんな折にクリエイティブ・コモンズの思想と出会ったことは、運命的だった。著作権という権利を他者に開放することで、表現作品は作者が予想もしなかったかたちで、互いにつながっていく。そうしてインターネット上に、文化の広大な生態系が立ち上がる。次第に、インターネットを成り立たせている情報技術に対する関心が高まっていった。

場をプログラミングする

　大学卒業後は、大学院で情報工学の実践をしたいと考え、さまざまな専門性をまたいで研究する東京大学大学院の学際情報学府に入った。修士課程では、当時働いていたアートセンターで開発したデジタル・アーカイブの取り組みを中心に、クリエイティブ・コモンズのネットワーク分析を、修士論文としてまとめた。

　その後、博士課程に進学すると同時に日本学術振興会の特別研究員に採用されてアートセンターを辞め、しばらく研究に専念したが、その後休学して、仲間と一緒に起業した。情報技術の社会的影響について大学で研究するだけではなく、社会の現場で実践したいという欲求に抗えなかったのだ。この時の個人的な動機としては、営利企業の経営に魅力を感じたというよりは、実社会と向き合いながら独自の長期的な研究活動を展開したいという思いが強かった。

　社名は、ドゥルーズの晩年の遺稿に書かれた言葉を用いて、「dividual［ディヴィデュアル］」とした。ドゥルーズは、情報技術によってますます管理される社会で、人は統合的な「個人［individual］」ではなくなり、いくつもの社会属性やデータの束としての「分人［dividual］」になるだろうと、批判的に予言した。しかし、わたしは同じ言葉に対して、情報技術を活用することで、個々人に存在する多様な要素が表出し、より自然に他者と接続するための道具が生まれるのではと、むしろ積極的なイメージを抱いていた。

起業してからは、多くの情報システムの設計と開発に携わる中で、さまざまなプログラミング言語を現場で習得した。一口にプログラミングといっても、多様なジャンルが存在する。わたしたちの会社が主に作ってきたのは、インターネットを介してひとびとが交流するコミュニティやグループのシステムだ。それは、プログラミングという機械的言語を使って、人々が話す「言葉」や、集まる「場」を作りあげること、と言い換えてもいい。

インターネット経由でアクセスされるウェブサイトやアプリを作るには、利用者の投稿をデータベースに記録し、集まったデータを画面に表示するロジックを組み上げる。パソコンや携帯電話、スマートフォンなど、異なる情報端末での利用を想定し、体験の流れを設計する。そうして、さまざまな人が表現を交わし合う場が生まれるのだ。

見知らぬ人々がケアを交わす場

わたしたちが最初に一般公開したサービスは、悩みを告白する人と励ます人が匿名で集う「場」だった。誰かが悩みのメッセージを短文で公開すると、すぐに他の利用者がやはり短文で励ましのコメントを送ってくる。悩んでいた人は励ましを実感したコメントのそれぞれを任意の回数クリックすることで、感謝を示すポイントを送ることができる。結果、悩みのメッセージは「成仏《じょうぶつ》」して消滅する。

２００８年の９月にこのサービスに『リグレト』という名称を与えて一般公開したところ、想定以上の人々が登録してくれ、すぐに多くの人々が日常的に悩みを吐露し、励まし合う場へと成長していった。最初は空っぽだったデータベースに、どんどん人々のメッセージやコメントの言葉が溜まっていく様子をシステムの裏側で観察していて、わたしはチームメイトたちと不思議な高揚感に包まれた。建築家が、自分で設計した公園に多くの人々がやってきて、さまざまに時間を過ごしているのを眺めている心持ちはこんなだろうか。

互いの素性を全く知らないのに、まるで長年の友人同士のように悩みを告白し、元気づけ合う。データをつぶさに観察していると、一日で１００人以上に励ましのコメントを送り、大量の感謝ポイントを集めている利用者が少なからずいることがわかった。このことから、人を励まし感謝されるという体験そのもので、自己有能感が充足し、元気づけられるという循環が起こっていることに気づいた。また、当初は意味不明なメッセージを大量に送って場を荒らしていた人が、多くの励ましのコメントを受け続けることによって「更生」し、逆にコミュニティのシンボル的な存在になったケースもある。
何気なく作ったこの場が、少なくない人々の精神生活を微力ながらも下支えしていると いう実感を得て、誇りに思うと同時に背筋が伸びる思いもした。間違った設計をすれば、多くの人を傷つける可能性もあるからだ。同時に、コミュニティの挙動にしっかりと寄り添いながら開発を進めれば、より多くの人を充足させられる。

このような思いを得て、わたしたちはプログラミングの力を使ってたくさんの機能開発を行った。なかでも効果的だったのは、全ての悩みのメッセージに励ましのコメントが付く確率を増やす幾つかの施策だった。たとえば夜中になると大勢の利用者が殺到し、多くの悩みのメッセージが投稿される。そうすると、誰にも気が付かれずに流れてしまうメッセージが出てくる。この問題に対処するために、一定時間以上コメントが付いていないメッセージをランダムで一番初めのページに自動的に配置するという機能や、混雑時には『リグレト』の世界を複数のタイムラインに自動的に分割することで、同時に同じ場にアクセスしている人数を減らす機能を導入した。これらの施策によって、励ましのコメントが付く確率が70%から90%に向上し、また悩みが「成仏」する確率も80%から90%まで向上した。

『リグレト』の開発は、インターネット上で有機的に成長する共同体を構築できるという気づきを得た、最初の体験となった。それはまるでひとつのゲーム世界を作る感覚に近い。プログラミングでひとつの場を組み上げると、その場の論理に従いながらも、人々は次々と新たな行動を生み出していく。そして、計算機が演算する仮想空間に独特の、他者との関係の結び方までもが生まれる。

親しみを醸成し、持続させる場

２０１０年代に入ってスマートフォンが本格的に社会に普及しはじめてから、わたしたちは次のプロジェクトに取り組もうとしていた。そんな折に、２０１１年3月11日の東日本大震災が起こった。社会がひっくり返ったかのような混乱の時期がしばらく続き、個々人として、そして企業として、自分たちの活動の価値観を改めて問い直すようになった。どうすればわたしたちが作る情報サービスは社会的な意義を持ち得るか、というディスカッションを集中的に行った。

その時に出した結論は「ファミリー・ネットワーク・サービス」というコンセプトだった。ソーシャル・ネットワーク・サービス、いわゆるＳＮＳは不特定多数の人々が共通の関心をもとに集まるものだが、わたしたちは家族や友人といった身近な人たちの存在に注意を向けることこそが求められているのではないかと考え、「家族」という価値に立ち戻ったのだ。

当時、地震や原発事故のあった被災地から、別の街への移動を強いられ、一家が離散してしまった人々がいた。そうした報道を見ながら、東京で地震を経験した自分たちも、あらためて生が有限であることや、家族との関係について考え直させられていた。

このディスカッションは震災後も継続した。多くのアイデアを検証し、試行錯誤を行う過程を経て、わたしたちはスマートフォンで家族や親しい友人たちと写真を共有する『Picsee《ピクシー》』というサービスの開発に乗り出した。

このアイデアが生まれた背景には、震災の翌年に娘が生まれてから、写真を撮る回数が爆発的に増えたという個人的な経験がある。夫婦それぞれのスマートフォンに何千枚という娘との写真が記録されているが、共有されるのはそのうちのごく一部である。個別の端末に入っている写真を同期させて、一箇所に集約させたいという欲求が生じていたのだが、かなり面倒なステップが必要だ。周囲のこどものいる家庭に聞いてみても、同じような状況だとわかった。

普通は、撮り終えた写真のどれを相手に送るかという選択を挟むのが一般的だ。ピンぼけした写真や、綺麗ではない写真をわざわざ相手に送ることは憚られる。だが、家族という親しい間柄なら、そのような気遣いから生じるステップを省略しても良いのではないか。そこで実験的に、シャッターを切るだけで登録した相手と瞬時に写真が共有されるというシステムを組んでみた。

実際に自分と家族の端末をつなぎ、こどもの写真を中心に共有を始めたところ、予想外の効果が生まれた。何の説明もなく無造作に送られてくる写真を見ていると、相手の視覚体験が自分のスマートフォンに流れ込んでくる感覚が生じたのだ。写真が送られてきた後で、その写真を巡って会話が発生する。そこで、写真の上で会話が行えるテキスト機能を追加すると、その写真に関する雑談から、全く別の話に脱線していくという傾向も観察できた。

スマートフォン用のアプリとして一般公開を行い、利用者の使い方を見聞きするうちに、このシステム固有のコミュニケーションが多様なかたちで生じていることが見えてきた。なにか特定の用事があるわけでもなく、なんとなく今自分の見ているものを家族や友人に見せたい。そんな時にシャッターを切るだけで、相手に届く。すると、時折、共通項や風景を巡って話に花が咲く。もしくは、送られてきた写真に対して、別の写真を送ることが返答となる。言葉によってではなく、写真によってプライベートな関係を媒介させることで、互いのささいな感情の機微に注意が向く。

『Picsee』の開発を通してわかったのは、言葉を起点にしたSNSとは全く異なるコミュニケーションの場が設計できるということだ。写真という情報を介して、互いの視覚的な環世界に出入りする。そのうち、現実世界での何気ない風景に向ける眼差しも、少しずつ角度が変わっていく。

「場を作る方法」を作る

『リグレト』では見知らぬ人同士、『Picsee』では親しい人同士の関係性が、情報技術によって紡がれるという実感を得た。それは自分のなかで、他者と接する方法が異なれば、他者との関係性そのものの認識が異なるというサピア＝ウォーフ仮説に基づいた言語的相対論の考えを育てることになった。この二つのサービスは、現在は公開停止しているが、いつかまた違うかたちで再開を期したいと考えている。

3・11の直後に、わたしは会社経営を続けながら、起業してから休学していた博士課程に復学した。翌年にはこどもが生まれ、子育てと経営を続けながら博士論文をまとめた。大震災とこどもの誕生を契機に、めまぐるしい速度で経営に勤しんできた生活を見直し、より大局的な時間軸で活動を再設計しようと考え始めたのだ。そして起業から10年が経ち、大学でのテニュア（教員の終身雇用資格）のポジションを提示された時に、再びアカデミアでの研究の場に戻ろうと決意した。

　わたしたちは、日常的に使っている言葉だけではなく、使う技術によっても、個としての世界の認識の仕方、そして他者との関係の築き方が変わってくる。重要なのは、言葉も技術も所与のものではなく、目的に応じて作り変えることができるということだ。20世紀を通して情報技術を発展させた技術者や科学者たちは、人の知性を増幅させることで平和な世界を築けると信じてきた。しかし、わたしたちはむしろ他者と関係する方法を探るためにこそ、情報技術を活用するべきではないだろうか。この頃から、わたしは企業の製品開発とは異なる視点で、デジタルな場の設計を持続的に行う術を探り始めたように思う。

デジタルな筆跡を辿る

　わたしたちが起業して最初に開発したのは、キーボードで文章を書く過程を一字一句記録し、再生する『タイプトレース』というソフトウェアだった。これは当時、メディア・アーティストであった遠藤拓己さんと共同で会社を設立する前に、美術館で展示する作品として一緒に開発したものだ。このサービスは結局、会社から公開することはなかったが、今でもわたしの研究の一環として開発を続けている。

　コンピュータやワードプロセッサが普及する以前、作家は原稿用紙にペンや鉛筆で文章を書いていた。そこには作家に固有の筆跡に加えて、修正や編集者による校正の跡が残っている。職業的な作家の原稿に限らず、手で書かれた手紙や葉書を見るとき、わたしたちは書き手の感情的な律動をそこに見て取る。

　しかし、パソコンとインターネットが普及し、キーボードで文章が書かれることが主流となった今、書き手の身体的な痕跡を見る機会はほとんどなくなった。『タイプトレース』はそんな現代にあって、「デジタルデータの筆跡」を作り出すソフトとして作った。このソフトを使って文章を書くと、時間に沿った文章の変化が全て記録される。そのデータを再生すると、予測変換候補を選ぶ状況、書いた文を削除する様子、次に何を打つかを考えている間《ま》などが可視化される。

　東京都写真美術館で開催された『文学の触覚』という展示では、小説家の舞城王太郎さんが『タイプトレース』を使って新作の小説『舞城小説粉吹雪』を３ヶ月間に渡って執筆してくださった。展示期間中、新しい文章が書かれると、舞城さんのパソコンからインターネットを経由して会場のシステムにそのプロセスデータが自動的にダウンロードされてくる。最終的には１５０時間以上に及ぶデータが集まった。展示会場では、執筆プロセスがスクリーンに映し出されると同時に、その前に置かれたキーボードが連動して、自動ピアノのようにカタカタと動き続ける。舞城ファンと思しき熱心な鑑賞者が連日、新しい文章が生まれる様子を観察するために来場し、長い時間スクリーンとキーボードをじっと眺めていたのが印象的だった。

ある時、会場で数回見かけた来場者の方に感想を聞いてみた。すると、「スクリーン越しに作家の気配や息づかいを感じる」という表現が返ってきた。言われてみると、確かにそのような効果が生まれると気が付かされた。『タイプトレース』で再生される文章は、当然ながら過去のものである。しかし、文章が一打鍵ごとに再生される様子を見ていると、まるで今この瞬間にその文章が生成されている錯覚を抱く。この時、デジタルデータであっても、生命的な存在感を伝えることができるのだという実感を得た。

舞城さんはまた、執筆プロセスが可視化されるという仕組みを利用して、隠れたメッセージを文章に織り込む「記法」を発明した。たとえばクリスマスやバレンタインの日に書かれた文章の冒頭には「みなさん、メリークリスマス！」、「ハッピーバレンタイン！」といったメッセージが書き出され、すぐさまに消去される。そうしたメッセージは、再生を鑑賞した人だけが受け取るが、最終的な原稿には残らない。

『タイプトレース』が生み出す、文章と映像が一体化した新たな記法は、静止している印刷活字の文章では伝わりにくい思考の過程を表すことができる。読み手にとっては、執筆の現場に立ち会っているかのような生々しささえ現れる。まるで書き手の環世界に入り込む感覚だ。『タイプトレース』で書かれた文章は倍速再生が可能だが、読み手にとっては時間のかかる「読書」を強いる。効率性や速度が求められる現代社会の一般的な通念には反しているかもしれないが、『タイプトレース』の文章は書き手の内面に対して読み手が注意を払うという価値を生み出すのだ。

クリエイティブ・コモンズが、ある作品に第三者が触れられるようにするという意味での「空間的な開かれ」を作り出すとしたら、『タイプトレース』はある表現がどのように成長したのかを知ることができる「時間的な開かれ」を生み出すともいえる。ここに、人が互いの行為の結果だけではなく、プロセスに対しても注視し合うという関係を結ぶ可能性があるように感じた。

生命の時間を刻む

『タイプトレース』の開発を開始した頃、わたしは大学院で一人の思想家の哲学について学んでいた。それは文化人類学者のグレゴリー・ベイトソンがその生涯を通して打ち立てた、個からではなく、関係性から考える思想だ。大学院に入ってたくさんの本に読み耽る中、はじめてベイトソンの著作を数ページ読み始めた瞬間、眼の前の世界が違って見えたことを鮮明に覚えている。科学的思考と文学性が融合した言葉で、生きることとは何かという問いが記述されていた。

　ベイトソンは遺伝学の教育を受け、文化人類学者として研究を始めた後に情報工学の世界に感化され、人生の後半は精神分析とコミュニケーション理論、そして哲学の研究を行った人である。そんな彼が一貫して考えたのは、「人間が機械的な思考ではなく、生命的な思考を持つにはどうすればいいか？」という問いだった。彼は、精神分析家カール・ユングの用語を借りて、主観の影響を受けない非生命的世界［pleroma］ではなく、主観的な知覚の差異から情報が発生する生命的世界［creatura］にこそ着目するべきだと考えた。

　たとえばある時、彼は大学の授業で、茹でた蟹を取り出して、学生たちに「この物体が生物だったということを論じなさい」と聞いた。困惑しながらも、学生たちが「生物はみな左右対称だから、この蟹も生物だ」とか「でも左右のハサミは大きさが違う」などと議論していると、一人が「蟹のハサミは、同じ大きさではないが、同じパターンで出来ている」と答えた。ベイトソンは「パターン」というその表現にこそ、あらゆる生命を結ぶ考えが含まれているのだと評価した。

「結ぶパターン」についてのベイトソンの考えはこうだ。人が蟹の成長パターンを観察すれば、それが自分の身体と同じように、一定のパターンが連続して作られたものだと直感的にわかる。このために、人は蟹が「節足動物に分類される甲殻類の一種である」という客観的な知識を必要としない。

次にベイトソンはひとつの巻貝を取り出して学生たちに提示した。巻貝のかたちは蟹のように左右対称ではないが、そこには渦を巻きながら成長したパターンを瞬時に見て取ることができる。ベイトソンはこれを、「発生過程から、いかなるパターン形成をもって形態上の問題を解決し続けてきたかの記録」が巻貝や蟹に刻まれていると表現している。

生物の成長の歴史がそのかたちに表出することを、ベイトソンは「プロクロニズム」（「前」を意味するプロと「時間」を意味するクロノからできた造語）と呼んだ。ここから、自らの成り立ちのパターンを知れば、異質な他者と自分自身を結ぶパターンを知ることにつながると考えた。

わたしは『タイプトレース』を使って再生される執筆プロセスを観察しながら、「表現された人間の思考」という抽象的な存在にもプロクロニズムが宿ると考えた。実際、仲間同士でメールの文面やメモの断片などを『タイプトレース』で書き、送り合ってみると、書かれている内容に対する理解が一層深まるように感じられた。たとえばあるアイデアに関する議論の文面で、同じ結論を読むにしても、どのようにその考えに至ったのかという発生パターンが再生されると、相手の思考過程と同期が取りやすい。もちろん『タイプトレース』に限定しなくても、たとえば他人の学習ノートやアイデア帳を見せてもらう場合にも、同様の感覚が生まれるだろう。

　そして、プロクロニズムの考え方を『タイプトレース』のデジタルデータで表現できないかと考えた。そこで、キーボードで文字が打たれて変換が確定するまでの時間に応じて、その文章のブロックの文字サイズが可変する、というエフェクトを実装した。別の言い方をすれば、遅く打たれた部分は大きくなり、素早く打たれた部分は小さくなる。すると、書き出されたテキスト上に、さまざまな大きさの言葉が踊るように現れ、蟹や巻貝の身体と同じように、テキストの発生過程が形態に現れるようになった。一見して、書き手の思考のリズムやテンポが把握でき、平坦な活字では得ることのできない情報が喚起される。

　機械同士なら結論の優劣だけを比較すればよいが、生命的な関係では、結論に至るまでの相互理解を育む必要がある。ベイトソンの思想は、情報技術に触れ始めた自分にとって、生命の主観的な価値と情報の概念を結びつけるための接着剤として機能したのだ。

関係のプロクロニズム

わたしのスマートフォンとクラウド上の記憶媒体には、娘の成長を記録した写真や動画が数万枚保管されている。時折、夫婦で、もしくは父娘で、数年分の映像を見返している。わたしが生まれた頃には、まだ写真はプリントが主流で、動画を撮る機器もほとんど普及していなかったが、今日の多くのこどもたちは自分の成長過程の映像を見返しているのかと思うと隔世の感がある。

このような体験がこどもの発達にどのような影響があるのかはわからない。もしかすると、負の影響もあるのかもしれないと思い、あまり頻繁にはこどもに見せないようにしている。それでも、無数の写真や動画を一緒に、何気なくランダムに見返していると、ただ娘の成長だけでなく、家族という関係そのものの発生と成長のプロセスまでもが再認識されるように思えてくる。

関係そのものをひとつの生命として捉えられるのだとすれば、関係のプロクロニズムをかたちづくることで、わたしたちの他者との関わりはどのように変化するのだろうか。家族だけでなく、無数の他者と遭遇し、すれ違う今日の情報社会において、わたしたちは互いの関係を育てるという意識を果たして持てているのだろうか。娘の無邪気な寝顔を見ながら、しばらくそのような考えに耽る時がある。

第六章　関係性の哲学

わたしがかくも深い影響を受けたベイトソンの思想はどこから生まれたのか、その射程はどこまで広がったのか。ここで一度、彼自身の人生を遡りながら、彼が生涯をかけて展開した「関係性」の思考について、考えてみたい。

人類学者としてのベイトソン

19世紀中盤のイギリスに生まれ、20世紀前半まで活躍した遺伝学者のウィリアム・ベイトソンは、「gene［遺伝子］」や「genetics［遺伝学］」などの重要な科学用語を導入したことで知られている。遺伝学が確立されていない時代にメンデルの法則の学術的価値を積極的に擁護し、植物における優性遺伝の法則を鶏においても確認した人物であり、自分のこどもにはメンデルの名（グレゴール・ヨハン・メンデル）に因んで「グレゴリー」という名前を与えた。

グレゴリー・ベイトソンは、父ウィリアムとは異なり、文化のフィールドで活動しはじめた。ケンブリッジで生物学の学士号を取得した後にシドニーで言語学の講師を務め、再びケンブリッジに。１９３１年からは人類学のフィールドリサーチを開始し、学際的なキャリアを積み上げていった。そして、後に結婚する文化人類学者のマーガレット・ミードと共に、南太平洋のニューギニアに暮らすイアトムル族の人々を訪れ、彼らが営む「ナヴェン」という祝祭儀式を調査した。そこで得た知見を１９３６年に大著『ナヴェン』〔Naven: A Survey of the Problems Suggested by a Composite Picture of the Culture of a New Guinea Tribe Drawn from Three Points of View（未邦訳、「ナヴェン：三つの視点によるニューギニアの一部族の文化の複合的理解が示唆する問題の調査」）〕として刊行した。

ナヴェンの祝祭に見えるもの

ベイトソンは、イアトムルの人々の日常的なコミュニケーションを観察し、そこに

「分裂生成《スキズモジェネシス》」という概念を考えた。分裂生成とは、人間の関係性において、一方の行為が他方の行為を増幅するきっかけとなると、両者のあいだの分裂が肥大化し、最終的に集団が成立しなくなるという考えだ。

ベイトソンは分裂生成の機《き》序《じょ》を、「対称的」と「相補的」の二つの型に分類した。たとえば、争い合う男同士がいて、両者が同じ社会階層にあり、その関係性が対称的だと、両者の力が均衡するほど対立が激化するか、定常化し、この場合は対称的な分裂生成となる。

他方で、親子関係や、支配者と被支配者、男女関係というように、社会的に非対称な関係性がある。この両者の非対称性が強化されていくのが相補的な分裂生成である。たとえば、支配者が高圧的な態度を取り、被支配者がそれに従う姿を見せれば、支配者はさらに抑圧的に振る舞い、被支配者はさらに従順になる。

ベイトソンは同時に、日常的な分裂生成によって深まる対立関係をリセットする働きを、ナヴェンという祝祭の中に見てとった。ナヴェンの儀式は、集団内のこどもがはじめて文化的な達成を果たした時に行われる。たとえば、こどもがはじめて魚を釣った時や、はじめて狩りで動物を殺した時などが文化的な達成とみなされる。この時に、母の兄弟や、それに近しい親族の男性が「ワウ」という役割を演じ、当のこどもは「ラウア」という役を与えられるのだ。

ワウとは「姉妹の兄弟」という意味で、男性がこどもの母親を演じる。ラウアは「姉妹のこども」という意味で、こどもが自分の父親の役割を演じる。だから、ワウ役を務める母の兄弟は、ラウア役のこどもに向かって「おお、私の夫よ！」と呼びかけながら、女ものの衣服を身に纏《まと》い、女性を馬鹿にしたような滑稽な行動を取って、ラウアを困惑させる。そうやってナヴェンが始まると、周囲の女性たちは逆に男性に仮装し、威張り散らしたり力を誇示したりするパフォーマンスを行い、誇張された男性のイメージを演じ続ける。

　ベイトソンは、こどもの成長という特殊なイベントを起点にして発生するナヴェンの祝祭が、日常で進行する男女間の分裂生成にブレーキをかけ、集団内の対立構造を中和する作用があると考えた。ラウア役のこどもは一時的にせよ父親役になることで、母親との親子関係という相補的分裂生成から脱する。また、ワウ役の男は義兄弟の妻に成り代わることで、兄弟間の対称的分裂生成から脱する。

　ベイトソンは分裂生成の構造を悪循環［vicious circle］と表現しているが、彼にすれば互いの立場を滑稽に表象して相対化するナヴェンは、まさに社会的な悪循環を克服するために生み出された具体的な技法であった。これはこどもと親、兄弟の間で、いわば互いの環世界を交換する様式だといえる。このことは、言語的相対論の見地から表現の相互浸透の問題を考える上でも示唆に富んでいる。ナヴェンはイアトムル族に固有の特殊な文化様式ではあるが、根底に流れる分裂生成とその克服というテーマは、あらゆる社会的な関係性に見て取れるからだ。

実際に日々の暮らしのなかでも、ナヴェン的な「互いの相違を浮き彫りにする」所作によって、夫婦間や親子間の喧嘩などの分裂生成が食い止められる経験は誰しもあるのではないだろうか。特に、ニューギニアにおいてこどもの成長がナヴェンの開催を引き起こすトリガーになっているのは興味深い。

たとえば夫婦が喧嘩していて、そこに幼いこどもが現れておどけたり、もしくは泣いたりして、夫婦のあいだの意地の張り合いが解消し、こわばった表情が思わず綻《ほころ》ぶというシーンは、現実でも良く見られる。第三者の視点の挿入によって対立関係が浮《ふ》揚《よう》され、ふと当事者同士のあいだに互いの気持ちに寄り添う余白が生じる。このとき対立の当事者たちは、両者をつなぐ関係性そのものがまるでひとつの生き物のように軟化と硬化を繰り返したり、伸び縮みしたりしていると気づく。

自然の本質へ近づくこと

ベイトソンはニューギニアでのフィールドリサーチの後、研究の場を次々と変えながらも、その生涯にわたって人間社会における分裂生成を克服する方法を探求し続けた。
『ナヴェン』刊行後、１９４９年から61年までは、第二次大戦の帰還兵たちの診察に従事した。そこで、彼は心的外傷後ストレス障害［ＰＴＳＤ］から統合失調症《スキゾフレニア》を発症した患者たちと過ごし、自己同一性の分裂生成を引き起こす「板挟み《ダブルバインド》」という現象を観察した。

危機的な状況からの離脱を禁じられると合理的なコミュニケーションの経路が閉ざされるため、人間は、自己同一性を担保できなくなってしまう。そして、葛藤の末に妄想という非合理な経路を採用するようになる。ベイトソンは、板挟みの仕組みはまた、愛情と憎悪という矛盾する二つのメッセージを親が子に向けて発信することでも植え付けられると考えた。この観察は、当時は先天的な理由に起因すると考えられていた統合失調症に対して、生育環境におけるコミュニケーションの影響を示唆する先見的な研究となった。

そこからベイトソンは、ダブルバインドを解消するために、患者を変えようとするのではなく、患者を取り巻く環境、とりわけ抑圧的な親や保護者の関わり方を変えるという治療法を考案する。

そして１９７０年代に入ると、ベイトソンの本は多くの一般読者を獲得する。その背景には、アメリカの、特に西海岸の歴史的な経緯が関係している。そこでは、カウンターカルチャーやヒッピー・ムーヴメント、ニュー・エイジといった、新しい精神の在り方を求める文化が開花したのだ。

人工知能の発達が国家や企業による管理社会の到来を招き、人々から自由を奪うという現代にも通じる議論は、１９５０年代から起こっている。特に、第二次大戦後の厭世《えんせい》感が漂うなかで「精神の解放」という主題を掲げたビートニク（詩人ジャック・ケルアックによって提唱され、１９４０年代後半から60年代にかけて流行した文芸運動）の詩人たちは、ニューヨークからサンフランシスコに移り住み、そこでヒッピーたちによるコミューン生活文化と合流した。そして、実験芸術の実践や東洋宗教への注目と共に、ＬＳＤや麻薬を服用することによって高次の意識に達するという信仰が生まれた。コンピュータは、体制が支配のために用いるものであると同時に、一般市民が自らの精神を解放し、新たな認識を得るための道具としてもみなされるようになったのだ。

ベイトソンは、ちょうどこの間で活動を展開しながらも、機械的な性能向上ではなく、人の認知能力を進化させ、より本質的な認識論に至る方法を考え続けた。同時代の神経科学者だったティモシー・リアリーやジョン・Ｃ・リリーのように、ＬＳＤの効能を説いて回りながらカウンターカルチャーの教祖的存在として振る舞っていた人物たちとは一線を画する、あくまで知的な方法を探求しようとした。

たとえばジョン・Ｃ・リリーとベイトソンは一時期、同じ海洋生物学の研究所に在籍しており、ベイトソンはそこで、イルカ同士がコミュニケーションを交わす言語構造を明らかにしようとした。対してリリーは、驚くべきことに、イルカにＬＳＤを投与し知能増幅や意識変容を促し、人間とイルカの会話を実現しようとした。

ある時、リリーの研究に参加していたメンバーが、イルカと性的な関係を結ぼうとしていることが雑誌に取り上げられ、スキャンダルを起こした。さらに動物へのＬＳＤ投与の倫理性を問われたこの研究所は、閉鎖に追い込まれた。結果的にどちらの研究も成果を生むに至らなかった。それでも、種を超えた会話というファンタジー〔妄想〕について、リリーがイルカを人間の側に引き付ける暴力的な方法を用いたのに対して、ベイトソンがイルカの環世界を人間とは異なるものと認めていたことには、本質的な違いがある。ベイトソンは、人類学の調査でも精神病の治療でも、常に対象の自律性を尊重しており、安易な人間中心主義に陥ることはなかったのだ。別の言い方をすれば、彼は自然そのものを人間の都合のために拡張しようという考え方は持っていなかった。あくまで、自然の本質を見極めようとし続けたのだと言える。

関係性の言語

１９６０年代以降、ベイトソンは徐々にオーソドックスな学術の世界から遠ざかっていく。そのきっかけを作ったのは、スチュアート・ブランドという編集者である。彼はベイトソンの思想に傾倒し、その著作を一般に広めることに貢献した。ブランドは、アップル創業者のスティーブ・ジョブズも愛読していたことで有名なヒッピー・コミューンの聖典的な雑誌『ホール・アース・カタログ』〔直訳すれば「全地球カタログ」〕や『コ・エヴォリューション・クォータリー』〔直訳すれば「季刊・共進化」〕の編集長としても知られている。彼はまた、計算機科学者ダグラス・エンゲルバートによる伝説的な「全ての技術デモの母」というイベントをプロデュースし、後の80年代には世界初のオンライン・コミュニティ『The WELL』を立ち上げ、90年代に生まれたテクノロジー・カルチャー誌『WIRED』に思想的な影響を与えたことでも知られる。そのブランドが自身の刊行物のなかでベイトソンの文章を掲載した途端に、ヒッピー気質の読者たちは熱狂的に迎え入れたのだった。

読者層が拡大した１９７０年代、ベイトソンは学術的な論文のかわりに一般書を書くことに注力していく。72年に刊行された『精神の生態学』〔原題：Steps to an Ecology of Mind〕は、人類学、サイバネティクス、精神分析の文脈で書かれた彼の論文集を一般読者向けに再構成したものである。そして死の前年となる79年には、最後の単著となった『精神と自然』〔原題：Mind and Nature〕が刊行された。

興味深いことに、これらの著作は海を越えてフランスにも届いており、１９８１年にパリ第8大学で行われたジル・ドゥルーズの連続講義録でもベイトソンの研究が取り上げられている。「アナロジーの言語」というテーマの講義のなかで、ドゥルーズはベイトソンのことを「哲学におけるヒッピー」として紹介し、特にイルカの研究について熱っぽく語っている。ドゥルーズは「Bateson」の英語の読みを知らなかったようで、ずっと「バティソン」と発音しているのが可笑しいのだが、彼によれば、ベイトソンは「関係性の言語」を追求した人となる。

　そのことを説明するために、アナログな非文節的な言語と、デジタルな文節化された言語を区別している。統合失調症患者の叫びやイルカの歌は、発信者と受信者の関係性を直接的に表現する、アナログな言語である。そこには、「わたしはあなたと関係している」というメッセージが埋め込まれている。それは「相互的な依存関係」のことである。ベイトソンは遊び心も込めて、このような言語がμ《ミュー》機能を持つと言っている。μはギリシャ語のMであり、ミューズ［muse］、音楽［music］、神話［myth］を想起すると同時に、猫の鳴き声「ミャーオ」のMでもある。

　たとえば、餌をねだる時の猫の鳴き声は、「わたしはあなたに依存している」ことを表明するアナログ言語である。猫とわたしは同じ哺乳類であり、危機的状態においては声を発することを知っている。そこから、「お腹をすかせているに違いない」という状態を演繹（すでに持っている知識から、現象を理解すること）する。これが可能であるのは、わたしと猫が同じ生命のプロセスを共有しているからだともいえる。

他方で、デジタルな、分節化された言語は、客観的な状態を指し示すことに特化しており、それは帰納的な作用を持つ。鳴く猫を前にして、「鳴いている猫がいる」「他にも鳴いている猫を見たことがある」「それはいずれも空腹な猫だった」「猫は空腹時に鳴く」などという法則をいちいち帰納（事実を使って法則を作ること）する必要がない。わたしに依存している猫がいる、という関係性の把握から、わたしと猫に類似する［analogous］事実が導き出される。

ドゥルーズとその盟友ガタリが探求した環世界的な領土というテーマ（17頁参照）と、ある存在と他者もしくは環境が連関しながら一つのシステムを成していると捉えるベイトソンの思考は、生命的なアナロジーという共通項を介して地続きの関係にあると言えるだろう。実際、ドゥルーズは晩年のインタビュー映像のなかで、動物の環世界と人の表現世界が共に「再／脱・領土化」の運動に根ざしていると語り、人間社会の論理からではなく、生命の原則に従う関係性を築くべきだと説いている。

機械の情報と生命の情報

ベイトソンの思想が、ヒッピー文化とテクノロジー信仰が融合したアメリカ西海岸という土地で受容されたのには理由がある。そもそも19世紀のゴールドラッシュで多くの開拓民が殺到して生まれた西海岸の都市は、新しい文化や技術を受け容れる気風に満ちている。この自由な思考を醸成する風土と、ベイトソンのハイブリッドな思考が適合したのは不思議ではない。ただし、より根源的にベイトソンとテクノロジーの関係を決定づける機会は、第二次世界大戦直後のニューヨークで起こった。

ジョサイア・メイシー・ジュニア財団という慈善団体がスポンサーとなり、１９４１年から60年のあいだに一連の会議を開催した。そのうち、46年から53年まで続いた「メイシー・サイバネティクス会議」は、数学者から言語学者、そしてベイトソンや当時の妻のマーガレット・ミードのような文化人類学者までを含む学際的なメンバーによって構成された。掲げられた趣旨は「人間の意識に関する科学を確立する」というもので、この会合は後に「認知科学」と呼ばれる領域の嚆矢《こうし》にもなったといわれている。

第二次世界大戦が終結した直後で、戦時を通してコンピュータが飛躍的な発達を果たしていたこともあり、数学者や計算機科学者が多く参加していた。つまりメイシー・サイバネティクス会議が開催された時期は、人工知能研究の黎明期に重なる。人工知能は、もともと人間の知性の本質とはなにかという問いを追究する領域から始まったのだ。それ自体では統合的な結論には至らず、逆に、そこから二つの異なる「情報」の定義が分派した場であった。

会議に参加した数学者のクロード・シャノンは、情報を数学的に定量化し、機械同士の情報の交換というコミュニケーション［通信］のモデルを厳密に定義したことで知られる。今日のインターネットの通信技術はシャノンが作り上げた情報理論に支えられているといっても過言ではない。シャノンの情報理論では、コミュニケーションの目的は正確な情報の伝達にある。そこでは、不要なノイズや冗長な内容は除去されるべきものとして見なされる。シャノンは確率論に基づいて情報を定義し、与えられた情報のなかにどれだけの予測可能性が含まれているかで情報量を評価した。

逆にいえば、情報が生成される規則が乱雑であればあるほど、予測可能性は減少する。「エントロピー」と呼ばれるこの乱雑さの度合いが高いほど、情報量は増える。ごく単純な例を挙げれば、「aaaa」という同じ文字が反復するパターン（１００％の確率でa）よりも「abcd」という異なる文字のパターン（それぞれの文字が4分の1の確率で登場する）の方が情報量が多い。エントロピーの単位は「ビット」と名付けられ、データの大きさを表した。重要なのは、これが意識を持った人間というような高次の存在同士ではなく、機械的なシステム同士のコミュニケーション［通信］に適用される考え方である点だ。

他方で意識の次元に取り組んだベイトソンは、人間や動物といった生命的な主体のコミュニケーションを考えるなかで、「情報とは、差異を生み出す差異である」と定義した。ここでは、情報を、単体として量的に捉えるのではなく、情報の主体を結ぶ文脈《コンテキスト》のなかで捉えている。コンピュータ同士の通信では、どの機械であろうと同一の情報を正確に送受信する必要がある。仮に、人間のように聞き間違いや誤解を生じる計算機などが存在したとしたら、それは何の役にも立たないだろう。

しかし、話し相手に応じて異なる発想が生まれる人間や動物同士の相互作用においては、正確な情報伝達以外の側面がむしろ重要だ。ビットに換算したら全く同じ情報量のメッセージであったとしても、「わたし」と「あなた」ではその価値が異なるからだ。

ベイトソンの情報観は、世界のあらゆる現象は常に変化しているから、事物の独立性は否定され、相互依存しているという認識に根ざしている。

この情報観に沿えば、互いに差異を生成しあうコミュニケーション主体たちは、相互を他律的に制御しようとせずに、互いに自律的な存在として認め合う。なぜなら、情報を交わす主体の環世界の差異こそが、新たな未知の価値を生みだすからだ。ベイトソンは一貫して、コミュニケーションを生命的なシステム同士が相互作用する場としてみなした。そうすることではじめて、関係性について本質的に考えられると説いたのだ。

フィードバックが循環する

　メイシー・サイバネティクス会議は統合された情報モデルに帰結しなかったが、それでもベイトソンは数学者たちとの対話から、「サイバネティクス」、そして「フィードバック」という重要なシステム論の概念を自身の思想に取り込んでいる。これらの用語の意味と射程を簡潔に理解することでベイトソンの思考も追いやすくなるので、少し長くなるが説明をしておこう。

　現代人が情報にアクセスするために使うコンピュータは、家庭用ゲーム機もスマートフォンも、その本質は「計算する機械」である。そして今日、計算機やインターネットの世界のことを「サイバー空間」と呼ぶこともある。「サイバーセキュリティ」や「サイバー攻撃」、そして「サイボーグ」といった名称を聞いたことのある人は多いだろう。cyber《サイバー》という接頭辞の語源であるサイバネティクスという言葉は、ギリシャ語で「(船の)操舵手」を意味する*κυβερνήτης*(キベルネテス)という言葉をもじって作られた造語である。

19世紀の数学者、アンドレ・マリ・アンペールは、同源のcybernétique《シベルネティック》という語を用い、為政者のための統治理論を科学的に打ち立てる必要があると説いた。対して、「メイシー・サイバネティクス会議」の中心的人物であった数学者のノーバート・ウィーナーは、人間の脳の神経系から計算機ネットワークで構成される社会に至るまで、複雑な要素で構成されるあらゆるシステムを包含するために「サイバネティクス」という用語を導入し、同名の書籍も刊行した。ウィーナーは、あるシステムに恒常性をもたらす秩序には、どのようなフィードバックの制御機構があるのかを考えようとした。今日、サイバネティクスの応用領域は生物学、機械工学、社会心理学からマネージメント理論まで多岐におよぶ。

　身近にある単純なサイバネティック機構としては、たとえば空調システムのフィードバック循環が挙げられる。暖房がついているときは、現時点での室内気温［入力］が目標値より低いかぎり、暖風を出しつづける［出力］。十分に室温が暖まったことが検知されれば、出力は抑制［負のフィードバック］される。逆に外気温が急激に低下すれば、出力は最大化される［正のフィードバック］。こうしてシステムの状態が一定に保たれることを、恒常性《ホメオスタシス》という。

　同じような機構は、生体内のホルモン分泌量であったり、細胞内外の水素イオン濃度など、多くの生命現象にもみられる。自律走行車や高度なロボットのように環境情報を機械学習技術によって認識するシステムも、主体と環境の複雑なサイバネティック・ループが作動する例である。

ベイトソンはメイシー・サイバネティクス会議に出席した後、積極的にフィードバックの論理を自身の思索に取り入れた。サイバネティクスはベイトソンに、生命に固有のコミュニケーション様式を、機械論と超自然主義という両極に陥ることなく科学的に捉える手段を与えた。

言語的なサイボーグ

ここで改めて、個々の存在が表現する環世界の問題に立ち返るためにも、フィードバックの観点から言語を考えてみよう。

非言語的な無意識と言語的な意識の連関もまた、相互にフィードバックを連絡しあう、ある種のサイバネティックなループ構造を成すシステムとみなせる。身体の外界からのさまざまな情報刺激が体内に取り込まれ、意識の俎上にあがる流れと、世界にあらわれた自らの言動がふたたび無意識へとフィードバックされる流れが並走している。人は長期的な記憶において、他者から観察されるのみならず、自らを観察する存在でもある。

たとえば、情動伝染と呼ばれる現象の一例として、人はポジティブな意味合いの言葉を他者から聞くと、自分の言動もポジティブに変化することが知られている。ネガティブな場合も同様だ。この効果は多くの研究者によって、物理的な対話でもＳＮＳでも確認されている。他方で、自分自身に特定の言葉を聞かせることで自己暗示をかけるというテクニックも知られている。アスリートは冷静を保ち、自らを励ますために、自分で決めた身体動作のルーティンをおこなうが、これは無意識を制御対象とした身体的言語の一例だ。

言語は身体に影響する。そして、外界の刺激を受容する知覚もまた、言語的イメージの形成に影響する。このフィードバック・ループが存在するからこそ、言語という、身体の上に装《よそお》うことのできる技術を獲得した時点で、人間はすでにサイバネティックな構成体[cyb-org]〔cyborg は cybernetic organism の略語〕に成ったのだと表現できる。

この考え方は、カナダの研究者マーシャル・マクルーハンの「メディア論」とも通底するものだ。マクルーハンは言語から電子技術に至るまで、あらゆる道具の使用は人間の意識を変容させてきたと論じた。有名な「メディアはそれ自体がメッセージである」という警句は、わたしたちがコミュニケーションに用いる手段そのものによって、伝達される意味内容が変化することを意味している。また、彼は「メディアはマッサージである」という言葉遊びも用いたが、それはわたしたちが使用するコミュニケーション手段そのもののフィードバックを受けて、認識が変化するという意味である。

言葉は、機械部品よりも人の身体、そして無意識と、より有機的に結合するものだ。義肢や義足、もしくは人工臓器、そしていつの日か実現するかもしれない義脳にいたるまで、機械的な外装物は生物身体の物理的制約に従わなければならない。言語にもそれぞれ固有のルールが存在するが、言葉は基本的に、どんな文字の組み合わせであっても、新しい意味やニュアンスを柔軟に付与することができる。

それでも、言葉も機械も共に人がつくった道具という点では共通している。人は常に新しい言葉や道具をつくりだし、自分自身にその効果をフィードバックさせることで、異なる世界の見え方をその身に宿すことができるのだ。

生命のプロセスへ

ベイトソンが探求した生命的な情報観は、世界の全ての事象は関係し合っているという認識を前提としている。そして、個々の存在の辿ってきた来歴、プロクロニズムに注意を傾けることによって、自他が関係する地平が切り開かれる。このような考え方をデジタルな計算機と接合してはじめて、わたしたちは自然の本質に向かうことができる。

わたしが人生で最も長い時間をかけてその発生と成長の過程をつぶさに見守ってきたのは、他でもない自分のこどもだ。妊娠したばかりの妻の胎内画像のなかで激しく鼓動を打っていた数センチばかりの胎児が、いまでは自律的に走り回り、本を読み、友だちと笑い転げたりしている。この光景は筆舌に尽くしがたい驚異の感覚をもたらすと同時に、わたしたち全員が同じプロセスを辿ってきたことを想起させる。

今から30年後の未来、娘が現在のわたしと同じ年齢に達する時、果たして人類社会は互いの生命的プロセスを尊重しながら生きているだろうかという思いが頭をもたげる。しかし、未来を不安がっている時間はない。こどもたちの世代と共に、みずからの生命性を維持するための言葉と道具、そして認識を作り出していく他に選択肢はないように思える。

第七章　開かれた生命

インターネットを介して表現とコミュニケーションの道具を設計するなかで、「生命」という概念が浮かび上がってきた。そこから自ずと、「ある存在が生命的であるとはどういうことか？」という問いと向き合うようになった。そのことを考える上では、20世紀の社会がどのように「情報」や「知性」を定義したのかという問題は避けて通れない。

「人工知能」と「知能増幅」の歴史

20世紀を通して発達した生命の概念は、実は「情報」と「知性」を巡る議論とも密接な関係があった。ここで少し、歴史的な流れを踏まえておきたい。

本格的に計算機科学が立ち上がったのは第二次大戦後の１９４０年代だと言われている。ちょうど、前章で述べたメイシー・サイバネティクス会議が開催されていた時期にあたるが、50年代に入ると特に、人工知能［Artificial Intelligence, ＡＩ］の議論が本格化するのと同時に、人間の知性を機械によって増幅しようとする知能増幅［Intelligence Amplifier, ＩＡ］という思想が立ち上がった。ＩＡの考え方は、人間と機械の相互作用［Human-Computer Interaction］という領域を生んだ。

　計算機が社会に普及するずっと前、まだ「コンピュータ」という名称がペンと紙で計算を行う人間の職業を指していた頃、計算機への情報の入出力はパンチカードを通して行われていた。キーボード、マウスといった入力インタフェース、そしてディスプレイのなかで情報をグラフィカルに表示する出力インタフェースは、当時からすればＳＦの世界に等しい、全く新しい情報との接し方だ。パソコンやスマートフォンを通して情報の入出力を行う今日のインタフェースのほとんどは、第二次大戦後から１９７０年頃までに発明されている。

　世界で最初のコンピュータ・マウスなど、数多くのインタフェースを開発した計算機科学者のダグラス・エンゲルバートもまたＩＡの流れに位置づけられる。前章で紹介したスチュアート・ブランドがプロデュースした、伝説的な技術デモンストレーションを実施した人物だ。彼が1962年に書いた『人間の知性を拡張するための概念体系』（『Augmenting Human Intellect: A Conceptual Framework』）という論文にはこう記されている。

「人間の知性を拡張するということは、人が複雑な問題にあたる能力を増大させ、必要とすることをより容易に把握し、問題を解決できるようにすることだ」〔筆者訳〕。

この思想は、「As We May Think」（「人が考えるように」）と題された、情報工学の歴史的な論文を1945年に発表したヴァネヴァー・ブッシュの考えを受け継いでいる。ブッシュは第二次世界大戦中のアメリカで国防と科学者コミュニティを架橋する役割を果たし、戦争終結のために原子爆弾の開発を進めたマンハッタン計画に関わった。彼は、科学が進み、情報が溢れかえるようになる時代に向けて、人間がより効率的に複雑な情報を処理できるよう、技術環境を整備しなくてはならないと主張した。いずれ人は機械に向けて話すだけで思考を記録できるようになり、単純で反復的な作業は機械が代替するようになる。また、人間が連想によって情報を整理するように、大量の情報から関連付けて分類を行うことが機械にも可能になる、といったアイデアを展開した。

この「Memex《メメックス》」と呼ばれる構想は、科学技術を、相互破壊ではなく、人間がより賢くなり、共存するために使うことを目的とする、とブッシュは書いた。大量の無実の命を瞬時に奪った原爆の開発に参加したブッシュが、このテキストを広島と長崎に原爆が落とされる直前に発表した背景に、贖罪《しょくざい》の気持ちが働いていたのかはわからない。いずれにせよ、このアイデアが後世のエンゲルバートや多くの計算機科学者に大きな影響を与え、人類の知性を拡張するために計算機をデザインするという思想につながったことは確かだ。

使用するテクノロジーで知能が左右される

　科学史家のティエリ・バルディニに拠れば、エンゲルバートは当時の多くの研究者と同様に、ウォーフの著作を介して学んだ言語的相対論に深く触発されたという。１９５０年代に科学コミュニティで強い影響力を持っていたサピア＝ウォーフ仮説を、エンゲルバートは計算機開発に取り入れたのだ。そして、人間が機械を一方的に設計するだけでなく、機械もまた人間の思考を形成するというアイデアを打ち立てた。「人間と機械は、このような技術的なシステムのなかにおいては分離できない」ということだ。先述した論文のなかで、エンゲルバートはウォーフの理論に触れながら実験を紹介している。

　重しを付けたペンで文章を書けば、文字はいびつなかたちになる。これをエンゲルバートは、表現の効率性が下がっていると表現している。次に、重しの付いていない通常のペン、そしてタイプライターで書かれた文章と比較すると、タイプライターで打たれた情報が最も正確に情報伝達を行えるという意味で、「効率的」であると評価している。となると人間の場合、使用するテクノロジーの優劣に応じて、発現する知性の質が左右するというわけだ。

つまり、使用するテクノロジーの表現の経済効率性に応じて、人間から発現する知性が左右するとエンゲルバートは考えた。人間と機械は、技術的なシステムでは分離できないという認識だ。エンゲルバートは、比較文化論的な多様性の認識のためではなく、「知性の拡張」という工学的な評価を行うために言語的相対論を参照していた。

サピア＝ウォーフ仮説の本質は、言語というインタフェースの種類に応じて世界の認識の仕方が異なるという点にあるが、第1章で記述した19世紀の哲学者フンボルトのように、特定の民族の知的な優位性を説く文脈で主張する考えも出てきていた。エンゲルバートの発想は、直接的に差別を助長するものではないにせよ、個人の問題解決能力の向上が知性を増幅するというナイーヴな前提に拠って立っている。

手書き文字を活字と比較する際、情報伝達の効率性という観点からは劣っているかもしれないが、活字にはない筆跡の観察を通して発見できる心の動きや創造的なプロセスという価値もあるはずだ。

つまり、エンゲルバートにとっての知能増幅とは、問題が明確に定義できる場合の「知能」［intelligence］に関係するものであって、新たに問題を提起したりルールを定義したりするといった高次の「知性」［intellect］の領域には到達していないと言える。

とはいえ、今日の人間と機械のインタフェースの基礎が作られた背景に、言語的相対論が影響していることは、いろいろな示唆を与えてくれる。自然言語こそが人間が作り出した原初のテクノロジーであり、言語の文法が環世界から意味を抽出し、他者に向けて表現を行うインタフェースだとすれば、人間と言葉もまた、共に進化する循環的な関係を結んできたといえるだろう。

言語を技術とみなせば、サピア＝ウォーフ仮説を、テクノロジーを含むかたちで拡張して捉えられる。それは技術的相対論とでも呼べる考え方だ。しかし、言語や技術を使って世界の認識の仕方が変わるとして、果たして「知性を増幅する」という目的が妥当だといえるのだろうか。それは人類社会にとってはひとつの手段であったとしても、目的ではないのではないだろうか。

「計算」から「縁起」へ

前章で紹介したサイバネティクスの潮流からは、ＡＩ［人工知能］とＩＡ［知能増幅］

以外にも、生命システム論の動きが発展した。ウィーナーの『Cybernetics』という書籍の副題が「Control and Communication in the Animal and the Machine［動物と機械における制御とコミュニケーション］」であることは、サイバネティクスがもともと生命と機械の世界を架橋しようというビジョンを持っていたことを示している。

この命題は、一方では合理的な計算システムを構築するための技術的課題として、他方では機械的に計算することのできない哲学的問題として受け止められる。前者に与《くみ》するジョン・フォン・ノイマンやクロード・シャノンといった数学者たちによって、情報は定量化された単位に還元され、現代のコンピュータとネットワーク通信の基礎がかたちづくられた。

後者の流れでは、生命システムの内側からの観察を対象とする「二次サイバネティクス」を打ち立てた計算機科学者ハインツ・フォン・フェルスター、そしてさらに後の世代の認知科学者フランシスコ・ヴァレラといった多様な領域の研究者が、「生命的なシステムとはなにか」という問いを深めてきた。

なかでもチベット仏教徒でもあったフランシスコ・ヴァレラは、神経生理学研究における細胞の観察を通して、生命現象の本質が「自己を構成する要素を自律的に生産し続ける働き（autopoiesis《オートポイエーシス》）」であるという考えを、師であるウンベルト・マトゥラーナと共に発展させた。そして、社会が個々の生命を内包するのではなく、生命現象そのものが社会をサブシステムとして包含すると考えた。生命の自律性の原理を社会のスケールにまで拡張する方法に至ったのはそのためだ。その過程でヴァレラは、興味深い比較表を作っている（１２３頁参照）。

この表を見るためには、フォン・ノイマンという研究者の足跡を知らなければならない。ジョン・フォン・ノイマンは、ナチス・ドイツの侵略から逃れて、ハンガリーからアメリカに亡命した数学者である。彼は戦争を終結させるために計算機を用いた核兵器開発を強く推進した人物であり、「火星人」とあだ名されるほどの超人的な記憶力と計算能力の持ち主でもあった。「フォン・ノイマン型アーキテクチャ」と呼ばれる、彼が設計した計算機の構造は、今日のほとんどのコンピュータが従っているものである。

対して、サイバネティクスを立ち上げたウィーナーのものとされるビジョンは、いまだに実現されていない。実際、フォン・ノイマン型コンピュータが社会に進出し、フォン・ノイマンが構築した、あらゆる経済活動を一種のゲームとして分析する「ゲーム理論」が社会を席巻した１９５０年代において、ウィーナーは「数学理論にだけ基づくコミュニケーションの定義では不十分である」という批判を行ったが、フォン・ノイマンほどに明確な設計図を書き残すことはしなかった。

その一方で、ウィーナーは今日のいわゆる人工知能による人間存在への影響の議論を60年以上先取りする論考を残した。代表的な著作『The Human Use of Human Beings』（邦題『人間機械論：人間の人間的な利用』）のなかでウィーナーはこう記している。

機械的知性そのものが人間の脅威になるのではない。最終的には、他者を機械的に制御可能であると人間が考えるほどの脅威は他に存在しない――これは今日の人工知能と社会規範の摩擦の本質を言い当てている指摘である。

ヴァレラは、生物の自律性の概念を人間存在や社会システムにまで延長させる議論のなかで、フォン・ノイマン型コンピュータとウィーナーの言説を比較した。生命と機械を分離したり対立させたりするのではなく、統合する認識論を打ち立てようとしたのだ。

定量化される情報単位に基づくフォン・ノイマン型のシステムは他律的であるとヴァレラは考えた。意味や価値、そしてルールは外から「指示」され「表象」されるものであって、自ら生み出すものではない。情報同士は精確に比較され、入力と出力が区別される。

他方で、ウィーナーの思い描いた生命的な認識論に基づくシステムは自律的なものだとヴァレラは考えた。そこでは、ベイトソンのように情報を「差異が生み出す差異」として捉えられ、意味やルールは予め与えられるのではなく創発する。創発とはシステムの作動の結果、ある秩序が生まれることを意味するが、それは基本的に予測できない。このよう

	他律的システム（フォン・ノイマン）	自律的システム（ウィーナー）
作動の原理的論理	一致性	整合性
組織化の形式	入力／出力 写像関数	作動的閉鎖性 固有の挙動
相互作用の様式	指示と表象によって固定される世界	意味が創発する世界

「他律的システムと自律的システムの比較」［F. Varela : “Autonomie et Connaissance - Essai sur le Vivant” (Eds. du Seuil, Paris, 1989), P222 より筆者翻訳・再作成］

なシステムにおいては、アナロジーや相同といったゆるやかな整合性によって情報同士が関係を結び、システムに固有の文脈を作り出す。

仏教の実践者でもあったヴァレラは後に、「縁起」という仏教用語（サンスクリットの原語ではpratītya-samutpāda）を「相互依存的［co-dependent］な生起《せいき》［arising］」と表現している。このイメージは、同じく仏教の流れに属する密教の経典『即身成仏義』（空海）のなかで描かれる「重々帝網《じゅうじゅうたいもう》」のそれと呼応しているように見て取れる。帝釈天の宮殿に張り巡らされた網の、網目のひとつひとつは他の存在を映し出す宝玉であり、相互に関係しない存在はない、という教えを説くメタファーだ。ヴァレラは、ベイトソンが追究した関係性の原理を、生物学や認知科学の観点で追究したのだといえる。

ありえたかもしれない生命

ヴァレラは生命の動きをシミュレーションで表す研究も行っている。細胞の自己創出を数学モデルで記述したのが、「オートポイエーシス」のシミュレーションだ。環境変動の際に細胞が膜を形成し、維持する過程を動的に表現したもので、よく人工生命の領域で議論されてきた。

人工生命［artificial life］という用語は、１９８０年代に計算機科学者のクリストファー・ラントンが作ったものだ。人工生命は「Artificial life」を略して「ALife」とも呼ばれ、「いまある生命」［Life as it is］ではなく「ありえたかもしれない生命」［Life as it could be］を探求する分野だ。既に存在してきた生物のみならず、人間には未知の生命のモデルをも探る目的を掲げて、計算機科学者から生物学者まで、実に多様な領域の研究者が参加している。ALifeにはソフトウェアのプログラムを実行する、ロボットなどハードウェアを実世界で動かす、また人工細胞を化学的に作成する、といった多様なアプローチがあり、芸術表現のかたちを取ることも増えてきている。

計算によって生命性を立ち上がらせようという動き自体は、１９５０年代のコンピュータの黎明期からあった。コンピュータの基本原理である「計算可能性」をモデル化した数学者のアラン・チューリングは、化学的な生成過程を数学的に記述した「反応拡散系（チューリング・パターンとも呼ばれる）」を考案している。また、先述したジョン・フォン・ノイマンも、生命のように自己複製する機械をコンピュータ上で演算するための数学モデル（自己複製オートマトン）を考案した。彼らは人工知能［Artificial Intelligence］領域の開拓者としても知られているが、同時に知能を包含する「生命」というコンセプトも探求していたことは興味深い。

計算機を用いたシミュレーションを通して、自律的な自己複製や進化の主体の創出を目的とするALifeでは、人工知能研究から生まれた技術を用いることも多い。たとえば、１９４０年代に生まれた、ヒトの神経回路を模したニューラルネットワークの原型は、コンピュータの飛躍的な性能向上によって今日では深層学習［deep learning］と呼ばれる一連の技術に結実している。ALifeでも、個体の学習や群れの進化を計算するためにニューラルネットワークや深層学習の技術を用いる。学習と進化とは、知能の問題である以前に、生命を規定する重要な概念だからだ。

ＡＩとALife、この両者を分かつ根本的な思想上の違いがある。それは、人工知能はシステムの自動化を目指すのに対して、ALifeは自律的なシステムの構築を求める点だ。これこそがヴァレラが区別した自律と他律、つまり行為する動機が外部から与えられるか、それとも自ら作り出すか、という違いである。

「野生」のシステム

自動化と自律化の差異は、たとえば自律運転車（ＡＩカー）を例にとって考えられる。
現在のＡＩカーは、センサーによる大量の入力情報をもとに周囲を認識し、目的地まで自動的に走行するものだ。Uber や Tesla、Google といった情報技術企業、その他自動車メーカーが開発に注力し、人身事故を起こすなどまだ課題は山積しているが、その性能は着実に向上し続けている。

　ＡＩカーが十分に発達したら、わたしたちは自ら運転することなく、自由に移動を楽しむことができる。なにしろわたしたちの予定や行き先を自動的にクラウドから取得し、適切なタイミングで適切な場所に送り届けてくれるのだ。自分が使っていない時には、他の人を送り届けてエネルギー代を自分で稼ぐこともあるだろう。となると、道を走るあらゆるＡＩカーが市民の間で共有する存在になり、自動車は私有するものではなくなるかもしれない。そうして、まるで生き物のように動き続けるＡＩカーがわたしたちの街に「生息」しているような感覚が浸透するだろう。

　しかし、どれほど生き物のように見えるとしても、ＡＩカーはそれ自体に動機はなく、あくまでも企業や国の設定した機能を果たす存在である。「自律運転車」ではなく、正確には「自動運転車」に過ぎない。

　ALife 的な発想でいえば、本当に自律的な車とは、野生の馬のような存在だ。生存と、繁殖というそれ自体の動機をもち、普段は草原を自由に闊歩し、草をはみ、狼の群れから逃げ、また時には遊牧民に捕らえられ、食料と引き換えに人間や荷物を運ぶ労働を営む。

遊牧民は当然、馬を自分たちの道具として利用するわけだが、馬が嫌がることは極力避け、馬が喜ぶことを意識的に行うこともある。馬の生物学的な自律性を押さえつけて制御するだけではなく、その自律性を尊重しながら、コミュニケーションを試行する。

当然ながら、きまぐれで自律的な馬を人工的に作り出し、都市の中に大量に放牧する動機を、わたしたちの社会はまだうまく定義できていない。事故リスクを孕んだシステムを積極的に作るというアイデアは、現代社会にはまだ受け入れづらいものだ。社会インフラは他律的に、可能な限り制御できる対象として設計される傾向にあるが、このような世界では生命が関係を結ぶ機会が同時に減少するのだとも言える。自由な進化は社会のための最適化という概念に取って代わられていく。自動化と自律化という思想の違いは、全く異なる結論を招くのだ。

開かれた進化

生命の自律性を考える上で示唆を与えてくれる概念がある。それは近年のALifeの議論で重要視されている「開かれた進化［open-ended evolution＝OEE］」というものだ。大局的に俯瞰すれば、人間の作ってきたテクノロジーは生物のような系統発生の樹形図に見える。しかし、テクノロジーの機能と役割は明確に定まっているので、時間経過を経て勝手に進化することはない。ＯＥＥにおいては、未来は予め決められておらず、あらゆる可能性に開かれているものとして捉えられる。自然のなかで、多様な生物が無目的に変化し、環境と適合したものが生き残ってきた進化史のように。

ALife研究においてはこれまで、物理学や数学を用いた厳密な定義や測定が中心的な役割を果たしてきたが、近年ではALife的視点を社会課題と接続しようという機運も高まってきている。「開かれた進化」の視点も、生命の自律性と併せて、よりよい社会を構想する上でのヒントを与えてくれる。

わたしたちの産業文明は、その進化の「開かれ」具合をできるだけ最小化しながら制御しようとしてきた。過去を分析し、未来予測の精度を上げることで、不確実な自然を制御し、自然進化の環から降りることで、みずからの世界を人工的に最適化してきたのだ。特定の目的を持たない自然進化は、偶発的な環境変化への適応連鎖で脈々と起こってきたが、技術を手にした人間社会は偶発性を無化することで安全を担保しようとしている。

しかし、それは一体何のためだったのだろうか。このことを考える上で、ひとつの指標を与えてくれるのが、人間の心理的充実度を示す「ウェルビーイング」の研究分野だ。米国を代表する心理学者で、世界最大の世論調査企業であるギャラップ社のシニア・サイエンティストを務めるエドワード・ディーナーは、ウェルビーイング研究の開祖と言われている。彼は、世界１００カ国以上で人々の心の充実度を調査し、それが収入と一定の相関があることを示した。同時に、地域によっては同じ程度の収入であっても充実度が顕著に異なるということにも気づいた。

たとえば日本では第二次大戦後にＧＤＰが上昇し続けたが、人生満足度は横ばいであるし、アメリカとデンマークの貧困層では後者の方が心理的充実度が高い。また、別の研究者が異なる手法で欧米諸国の過去２００年間の心理的充実度を計測したところ、ほぼ横ばいか、場合によっては現在の方が19世紀よりも下がっているという結果が示された。技術はこれほど発達したのに、なぜ人間は満足できないのだろうか。

西洋に端を発し、世界中で不文律とされてきた近代化の波は、個人が自由を獲得し、幸福追求権が担保される社会環境を目的としてきた。ALife の用語でいえば、人間個体の自律性の増大が多くの思想家たちによって企図されてきたことは間違いない。しかし、近年の研究で見直されているのは、ＧＤＰという経済指標や物質的な豊かさ、そしてポジティブな感情を増やしてネガティブな感情を排するといった、20世紀の近代社会を駆動した機械的な認識論の限界である。

わたしは現在、共同研究者たちと一緒に、日本を含むアジア各国の文化的特徴に基づいたウェルビーイングの捉え方、測り方の研究を行っている。欧米社会をモデルにしたウェルビーイングの今日までの指標は、いずれも個人の幸福感を追求する前提だったが、他者とのつながりがより重要視されるアジア諸国では、集団や共同体といった関係性の充足を介してウェルビーイングが向上することが文化心理学の研究によって解明されてきた。「わたしのウェルビーイング」ではなく、「わたしたちのウェルビーイング」を志向するために、個人としての自律性を保った上で、他者と自己の意識が重なり合う感覚を創出するワークショップやインタフェース（タイプトレースを使って相手の存在感をより強く感じられるチャットシステムや、心臓の鼓動を録音して触覚的に体験する弔いの装置など）を研究している。

　ディーナーは、ウェルビーイングが高い人間ほど能力が高いと考え、だから温暖化や紛争といった地球規模の課題を解決するには人類のウェルビーイングを高める必要があると説く。そして、西洋社会以外の、多様な社会の価値観についての研究を奨励している。生きることの意味を単一の指標に収斂《しゅうれん》させるのではなく、多様な生の在り方を肯定できる社会構造を構築することは、わたしたちが「より開かれた進化」を生きるための指針になるだろう。

自律性と他律性について考えていると、そもそも個や自我というものがどのように発生したのか、という謎がわいてくる。

ある生物が個体であることは、自他の境界が物理的に決定していることを意味する。一個の細胞で個体が形成される単細胞生物なら、細胞膜が境界となる。しかし、それは神経系を持たないので、人間と同じ意味での「意識」の有無について推測することはできない。約40兆の細胞を持つといわれる人間の場合、その集合である身体がまず自他の境界の根拠となる。それでも、複雑な脳神経系によって生じる認知に応じて、自我の感覚は大きく揺らぐ。結局のところ、他者と自己の境界が定かでなければ、ある個体が自律的に行動することは不可能になってしまう。

それと同時に、完全に閉じているシステムは環境とのエネルギーの交換が行えず、死滅してしまう。細胞膜にしても、外部からの無機物や有機化合物の取り込みと、その外部への排出の両方を行うための経路を持っている。生命は、呼吸や発酵、光合成、そして摂食といった代謝なくしては、エネルギーを生成することができず、生命活動を維持できない。だから、個を維持しつつも、外界に対して「開かれて」いる必要がある。

「閉鎖と開放」のこの適切な配合を数値で表す指標は存在しない。それでも、この絶妙なバランスの上にわたしたちの生が依拠しているのだとすれば、生殖による自己複製もまた、精確な複製とそのゆらぎという、相反する働きのせめぎ合いの上で成り立っている。

　単純な細胞分裂によって自己複製する無性生殖の段階を経て、異なる遺伝子が交配することで多様性が発露できるようになった有性生殖が登場した。これは遺伝子を攪拌することで環境の変化に適応しやすく進化した例だと考えられる。巨視的には、強すぎる個に揺さぶりをかけながら変化を促し続けることこそが生命進化史の主軸とも思えてくる。

　わたしたちは地球上の生命のかたちしか知らず、また進化史についても原初の細胞の発生からの記録が実際に存在するわけではない。それでも、もしも地球で発生した最初の細胞が途絶えることなく今日生存する全ての生物へと発展したのだとしたら、「地球上生命」とでも呼ぶべき一つの系統は、驚くべき多様性を発現させたといえるだろう。

　１９７０年代にＮＡＳＡで火星探査に従事した惑星科学者のジェームズ・ラブロックは、ガイア理論を提唱した。地球と、そこで活動する全生命システムを、恒温性（ある生命の体温が外気の影響を受けることなく一定の温度で保たれること）という平衡状態を志向する一つのシステムとして捉える考えだ。そして、ガイア理論に基づく「デイジーワールド」というシミュレーションモデルは、ALife の文脈でもしばしば言及される。

デイジーワールドとは仮想的な惑星である。そこには、光を反射する白いデイジーと、光を吸収する黒いデイジーの二種が存在している。時間経過と共に、太陽光を浴びた黒いデイジーの繁殖によって惑星の温度は上昇するが、次第に白いデイジーも増えて温度を下げる。シミュレーションを実行していると最終的に、白と黒の両方のデイジーが均衡状態を保ち、惑星全体として一定の温度が維持される。植物や草食動物、肉食動物といった要素が後の拡張で加わると、惑星全体の恒温性が向上するという発見もあった。このシミュレーションは、特定の目的がなくても生命系の平衡がもたらされることを示した。そして生物多様性が系全体の平衡性を向上するという可能性も示唆された。

共生の論理

現実の地球ほどの複雑性を持たないガイア理論の設定には批判も多く、議論は終着していない。それでも、科学的な側面から進化論を巡る思想的な発展に大きく寄与した。

中でも、ガイア理論を支持する生物学者のリン・マーギュリスは、1991年の著書『Symbiosis as a Source of Evolutionary Innovation』〔未邦訳：直訳すれば「進化的イノベーションの源泉としての共生」〕で、複数の異なる生物種が共生関係［symbiosis］を結び、一個の不可分の全体を形成することを「ホロビオント［holobiont］」という造語で表現した。全て（ホロ）の生物（ビオント）が共に活かし合うことで、複数の生物種が連合しながら一つの超個体として作動している。たとえば、褐虫藻《かっちゅうそう》やバクテリア、古細菌、菌類の複合システムとして見なされる造礁《ぞうしょう》サンゴは、群生して珊瑚礁をつくるのでひとつのホロビオントとなる。マーギュリスはこのような観察から、生命進化の特質は競争ではなく共生にあるという考えに至り、適者生存を主張するネオ・ダーウィニズムの考え方とは袂《たもと》を分かった。

　ここで、自然進化を人間社会に当てはめるのは、二重の意味で注意が必要だ。まず、人間の技術文明が自然進化に内包されるかは自明ではない。なぜなら、目的を持たない自然進化と、局所的な目的を持って推進される社会活動を比較することは論理的に的確ではないからだ。

　わたしたちは、多様な職能を持つ個人によって構成される人間社会を、造礁サンゴのようなホロビオントとしてみなす誘惑に駆られるが、安易に進化史を社会に当てはめようとすると、思考停止に陥りかねない。自然進化の結果、環境変化に対する適応の最適化プロセスを経て現在の社会形態に至ったのだと考えれば、あらゆる社会問題は誤差の範囲として捨象され、残されるのは現状の追認のみになってしまう。誤った科学技術主義に根ざした進歩史観は、時に生命進化の比喩を用いて全体主義や人種差別を肯定しようとしてきた。ナチスの優生学的な選民思想はその最たるものだし、昨今の世界的な排外主義や国家主義の動向もまた、種の優劣という非科学的な幻想をふりまく言説に依拠している。

日本では与党の政治家が、同性愛者のような性的マイノリティに対して、こどもを産まないからと決めつけた上で、「生産性がないから税金を投入するべきではない」という趣旨の文章を、排外主義的な意見を多数掲載する雑誌に寄稿するということがあった（新潮社の月刊誌「新潮45」２０１８年8月号、自民党の杉田水脈衆院議員が寄稿した「『ＬＧＢＴ』支援の度が過ぎる」。多数の抗議と批判を受けて、同誌は同年10月号をもって休刊した）。人間存在を生産性という数値目標に還元するこの意見は、科学の徒として到底許容できるものではない。自然史は、遺伝子複製のエラーを許容することによって駆動されてきた。つまり生命はそれ自体が非生産的な現象として進化してきたのだ。

そしてなによりも一人の親として、自分とは異質な他者を排除しようとする、恥ずかしい大人の声はこどもたちに聞かせたくない。娘が将来、こどもを産まないことを自律的に選択するなら、もしくは、彼女が社会的にマイノリティとされるセクシュアリティを顕現させたとしても、その「開かれた未来」を十全に生きられるよう肯定し、助力すること以外に親としての選択肢はない。

排他主義が活性化する背景には、共通して資源配分の問題がある。ヨーロッパにせよアジアにせよ、外国人が不当に雇用や福祉の恩恵を受けるせいで、本国人からは「奪われている」という主張が叫ばれている。「本来はわたしのもの」が受け取れていないという不足の状態が、彼我の境界を強める要因となっている。自分の領域が侵犯されるという認知によって、「わたし」と「他者」を区別しようとする防衛機能が働くことは、身体の免疫系と同様の働きだといっていいだろう。

生物学的にいえば、これは原初のレベルの自己同一性《アイデンティティ》である。しかし、連綿とつながる進化の鎖に注意を向ければ、種の系統発生という個体の寿命よりも長い時間軸の上で、より高次な自己同一性が発現してきた。先に見た遺伝子の交配とは、個々にとっての自己、つまり究極的な「わたし」に、「他者」のものが混ざることで個がゆるやかに変容していくプロセスなのだ。短期的な個体発生の時間の上に、より長期的な系統発生の時間が重《ちょう》畳《じょう》している。この二つのリアリティを架橋するための認識が必要とされていないだろうか。

微生物との共生

自己と他者の境界ということを考え続けるうちに、わたしはALifeの文脈で、微生物と共生している感覚を生み出すシステムの研究をはじめた。きっかけは、会社を興したタイミングで、共同創業者の遠藤さんが実家に伝わる数十年もののぬか床をくれたことだった。そのぬか床で漬けた野菜があまりにも美味しく、以来、ぬか床作りに没頭するようになった。

多種多様な発酵微生物が共生する環境として、ぬか床への興味が増していった。米糠に塩と水を混ぜて作られるぬか床には、乳酸菌やその他の菌類が入り込む。漬け込む野菜に付着しているもの、空中に浮遊しているもの、そしてかき回す人間の手に常在しているものなど、様々な経路から微生物がぬか床に混入する。発酵が進んだぬか床では、それらの微生物が絶妙なバランスで共存するが、この均衡が破れてしまうと一部の菌類が異常に増殖し、腐敗に至る。

ぬか床の動的な平衡を保つには人間の手が欠かせない。ぬか床の表面には好気性代謝菌といって、空気に触れることで増える菌類がいる。これを野放しにしていると、ぬか床の底の部分で棲息する、空気を嫌う嫌気性乳酸菌の活動とのバランスが崩れてしまう。そのため、日々、ぬか床をかき回す必要が生じるのだが、わたしは何回かこのメンテナンスを怠ってぬか床を腐らせてしまったことがある。

微生物は目に見えないほど小さい。その集合体としてのぬか床の健康状態は、手触りや香り、そして見た目などから推測する必要がある。初心者であっても、継続さえできれば、そのような身体知を獲得できる。それでも忙しい日々を過ごしていると、つい腐敗の兆候を見逃して、ダメにしてしまうことがある。

　そこでわたしが考えたのが、ぬか床に声を与えるということだ。ぬか床の内部に、インターネットに常時接続したセンサー類を差し込み、音声認識と発話のシステムを内蔵した、ぬか床ロボット「NukaBot」を開発した。NukaBotは、スマートスピーカーのように、人の質問に答えてくれる。たとえば「調子はどう?」と聞けば、クラウド上のデータベースに集積されたセンサーからの値を基にぬか床の発酵状態を計算して、「いい感じ」「まずまずだね」などと、音声で返事をしてくれる。また、最後にかき回してから一定時間が経ち、乳酸菌以外の菌類が増えてくるのを察知して、自分から「そろそろかき回して」と周囲の人に呼びかけを行う。

　そして、NukaBotならではの機能として、共に生活している人間の味覚の好き嫌いを学習する、という点がある。漬けた野菜の味について、「今日は美味しかった」「いまいちだった」というように伝えると、その時々のぬか床の状態と、同居している人間の味覚の相関を学んでいくのだ。普遍的な「美味しさ」を数値的に決定するのではなく、NukaBotと暮らす家庭ごとに独自の「美味しさ」が醸成される。

もともと、ぬか床と人間はひとつのホロビオントを形成しているといえる。人の皮膚の常在菌がぬか床に入り込むことが、独自の風味の形成に寄与するからだ。ひとつの家庭で長年育ってきたぬか床は、共に暮す人間たち自身の微生物叢《そう》の鏡像と化している。そんなぬか床をロボット化することで、不可視の微生物たちの存在感が増し、人間がぬか床を共生者として認知しやすくなり、「人間＝ぬか床」のホロビオントがより持続できるようになる。わたしは、この共生関係のかたちを人間社会へ当てはめられるのではないかと考えている。

　標準的なぬか床の内部には１００種類ほどの菌類が棲息しているが、この多様性こそがぬか床の成立要件だろう。なかでも、一般には悪臭の原因だとされるグラム陰性菌は、ぬか床の初期段階では抑制される必要があるが、最終的には彼らが「復活」しないと、ぬか床特有の豊かな風味が生まれない。

　システムの構成要素を善と悪、効率と非効率で区分する思想からは、ぬか床の豊穣な発酵状態には到達できない。造礁サンゴやぬか床のように、複雑な要素が互いに排除し合うのではなく、絶妙なバランスの上で共生するシステムの姿から、人間の社会の在り方を考えることはできないだろうか。

共のリアリティに向かう

わたしたちの社会は、まずは口頭伝承による言語の長期的な記憶を獲得し、次に象形文字による半永久的な記録という媒体《メディア》を手にすることにより、自然進化とは別に、人工的な進化のフィードバック・サイクルを自らに適用してきた。わたしたちの精神は、生物学的な基盤よりも、ずっと柔軟で可塑的な構造を持っているのだ。

人類は、歴史の学習を通して、先行する世代の軌跡を追体験することにより、個の時間を越えた思考の継承を可能にしているともいえる。そして、所有の感覚を「権利」として社会的に制度化し、より強固な個のリアリティを作り出してきたのと同時に、「所有」を「分有《ぶんゆう》」に転換しながら、「共」のリアリティを醸成する技術をも磨いてきた。

70億人以上から成る社会システムが、40兆個ほどの細胞が連動する一個の身体と同じようなしなやかさを獲得するためには、「共の身体」を構築する必要がある。今日の社会では、依然として「個」の思想が強すぎるのだ。決して全体主義に陥ることなく、わたしたち個々の人間が、個体としてだけではなく、同時に「種」としての時間を生きる認識が生まれるにはどうすればいいのだろうか。

第八章　対話・共話《きょうわ》・メタローグ

ここで一度、生命誌の次元から、日常の次元へと視点を戻そう。そのためにも、再びベイトソンの思想に立ち返って、考えを進めたいと思う。彼は、娘のノラ・ベイトソンによれば次の警句を遺している。

> この世界の主要な問題のほとんどは、自然の仕組みと人間の思考が食い違っていることに起因している。〔ドキュメンタリー映画『An Ecology of Mind』より〕

このような認識に彼が至った時代背景として、第二次世界大戦やベトナム戦争、そして急速な工業化に伴う環境破壊や社会状況の急変といった状況があった。そのなかで、従来の科学の方法では、世界規模の問題に対応できないという強い危機意識を持っていたのだ。

それでは、自然と合致した認識論とは一体どのようなものなのだろうか。

メタローグの誕生

　ベイトソンは一生涯をかけて、社会のレベルや個人の内面のなかで生まれる分裂を埋める新しいコミュニケーションの文法を作り出そうとした。それは、世界を客観的に記述し、そこに流れる情報を機械的に制御しようとする道ではない。むしろ、生きたシステム同士が互いに影響を与えながら変化していくための「文法」を作る試みだった。

「個体ではなく関係性から出発する思考」を、ベイトソンが自らの執筆作業において実践した痕跡が残っている。それは彼が長年の研究過程で用いた「メタローグ［metalogue］」という奇妙な記法であり、後期の著作に頻繁に登場する、想像上の親子の会話の形式をとった一連の文章である。

　メタローグは『精神の生態学』で次のように定義されている。

「特定の問題に関する会話。この会話は参加者同士がその問題について話すだけではなく、会話の構造そのものも問題と関係していなければならない。（……）とりわけ、進化理論の歴史〈に関する記述〉は不可避的に人間と自然のメタローグの形式を採り、その中における思考の創造と相互作用は必然的に進化のプロセスを体現しなければならない」〔筆者訳、〈〉内は筆者注〕

一見すると、ずいぶんと難解な定義に見えるが、簡潔に言えば、メタローグとは「話者同士の関係性に応じて内容が決定する、対話形式の文章」のことだ。書く内容と結論をあらかじめ決めずに、AとBという話者同士の対話を進める書き方だ。ベイトソンはこの手法を用いることで、旧来の文法の制約から脱し、思考の形式そのものを進化させようとしたのだといえる。相互依存によって作動する、複雑な関係性のネットワークを表現するには、従来の独話《モノローグ》記法では不十分だと考えたのかもしれない。

ベイトソンが著作のなかで書いているメタローグは、「父」〔Father〕と「娘」〔Daughter〕の対話録の形式を取っている。先述した二冊の本ではそれぞれ一章の部分がメタローグのかたちで書かれている。ただし、これはベイトソンが想像した架空の対話であり、実際に娘と話した現実の記録ではない。

生涯で3人の女性と結婚したグレゴリー・ベイトソンには、最初の妻である人類学者マーガレット・ミードとの間に生まれ、自身も後に文化人類学者になったメアリー・キャサリン・ベイトソンという娘がいる。彼のメタローグに登場する「娘」とは常にこのメアリー・キャサリンのことである。グレゴリーは、自分の思索を進める上で、自問自答する代わりにメアリー・キャサリンを頻繁に登場させ、自らの意見に対して忌憚《きたん》のない反論や指摘を語らせている。「パパ、なんでパパはそんなに自分のことについて語るの？」「パパはいつもおんなじ話を延々としている」「パパが語ろうとしていることを明確な言葉にしないのはなんでなの？」といった具合に。

　ベイトソンはなぜメタローグの相手に娘を選んだのだろうか。いや、ここではなぜ父親としての自分と娘、という関係性を選んだのか、と問うべきだろう。ひとつには、メアリー・キャサリンは言語学を学んだ後に文化人類学の研究者になった人物であり、いわばグレゴリーの「同業者」であることが挙げられる。実際に二人は、家庭においても、学会で交わすような議論をしていたらしい。故に、自身の思考の整理のために適したキャラクターだったのだと推測できる。

　親と子とは、進化のプロセスの上では旧世代と新世代を表している。ベイトソンは、学習とは個体の進化であり、進化とは系統（種）の学習であると表現している。だから彼は、娘との架空の問答を通して、一人ではたどり着けない思考の境地に達しようとした。同時に、親子の関係性そのものを進化させようとしたのかもしれない。

　１９８０年にグレゴリーが病死した時、メアリー・キャサリン・ベイトソンの手元には二人の共著となるはずだった本の草稿が遺された。その後、彼女は6年の時をかけて、父の未完成の文章を校正しつつ、自分で亡き父とのメタローグを4章分加筆して仕上げた。死んだ父と生きている娘による共同作業によって完成した本は『天使のおそれ』〔原題：Angels Fear: Towards an Epistemology of the Sacred〕という題名で、87年に刊行された。この本では、合計で7つのメタローグが収録されている。それらはすべて、父娘の「ありえたかもしれない」会話の記録である。

相手の視線を自分の中に住まわせる

ベイトソン父娘のメタローグは、父と娘が互いの存在を拠り所とし合いながら、二人の関係性そのものを変化させたのではないだろうか。二人にとってのメタローグは決して、ただの妄想ではないし、刹那的な思いつきでもない。それは、何十年という長い時間で、父にとっての娘、そして娘にとっての父という存在の輪郭を意識の内側で醸成させるプロセスとして見て取れる。別の言い方をすれば、メタローグとは、深い関係を結ぶ相手の視点を自分のなかに住まわせて、そこから世界を見ようとする営みだとも言えるだろう。

互いの存在から学び合うこの親子の関係性は、一見特殊に見えるが、実はあらゆる家庭の内でも見られるものではないだろうか。例えば、親同士の会話ではよく、「こどもから学ぶことが多い」という表現が出てくる。実際に、こどもから素朴な疑問を唐突に投げかけられて改めて思考を促されることはよく起こる。また、泣いたと思ったらすぐに機嫌を直して笑い始めるこどもの様子を見て、その素直さに感じ入る時もある。

しかし、親が幼い子に抱くのは、無邪気な存在に対する愛おしさの感情だけではない。子のなかに過去の自分の面影を見て取ったり、未来の自分の姿を幻視する感覚も多分に混ざっている。

言葉の喪失と獲得

最近、わたしと娘との間に、こんなことがあった。

娘はいま、幼少期のわたしと同様に、東京で生まれ育ち、フランス語の学校に通っている。日本の保育園で過ごしてきたので、日本語を先に習得し、フランス語は３歳になってから覚え始めた。２年ほどが経ち、フランス語で話しかけると大体のことは理解する。しかし、なかなか自分からフランス語を話そうとはしない。保護者面談では、担任の先生から「もっと家でもフランス語で喋ってあげなさい、そうしないと小学校に上がってから大変になりますよ」と叱られた。だから、できるだけ普段から、娘にフランス語で話しかけるように心がけていたが、彼女はこちらが日本語を理解するということを分かっているので、フランス語で話しかけても日本語で返される。この無限ループにはずっと悩んでいた。

というのも、納得のいかないまま特定の言語を学ばされるのは当人にとって苦痛で、時として学習そのものを阻害する最大の要因になりかねない。これをわたしは、幼少の頃の自分自身や周囲の経験と照らし合わせて知っている。自分の場合は、もともとフランス語ネイティブではない親のもとで育ったから、フランス語を学ぶプレッシャーはなく、フランスの言語や文化への関心が自然と生まれた。結果的にこれは幸運なことだったかもしれない。なぜなら、フランスで生まれ育った親からの過剰な期待と圧力に反発してフランス語が嫌いになり、心が離れてしまう日仏ハーフのこどももいたからだ。つまるところ、自分の娘も、フランス語を話す必然性を自主的に感じられなければ、ただの押し付けられた学習になってしまう。

そう言いつつも、自分と同じように、放っておいてもいつか勝手に興味をもって学び始めるだろう、という楽観もあり、彼女が自律的にフランス語に関心を持つのに自分の経験を活かせないかと、考えてもいた。

その頃、先述した伊藤亜紗さんによる自分の吃音についてのインタビュー記事が公開された（40頁）。記事のなかで、吃音への対策を伊藤さんと楽しそうに話していたこともあったのだろう、当事者や吃音のこどもを持つ親たちからＳＮＳでダイレクトメッセージが届くようになったのだ。共感の声も多かったが、吃音との向き合い方についてのアドバイスを求めるケースもあった。もちろん、わたしは言語聴覚士ではないので専門的な回答はできず、個人的な経験を伝えることしかできない。自分の場合は周囲が気にしないでくれていたことが救いになったが、積極的にサポートする方が良い場合もあるかもしれない。それでも、わたしの話を読んで勇気づけられたという人たちとのやり取りには励まされた。吃音という弱点を晒したことで、多くの人とのつながりが生まれたことに驚いたし、なにより嬉しかった。

　この体験で、自分の弱さが他者をエンパワーしうるとわたしは気づくことになる。この図式を、娘の言語学習に当てはめることはできないだろうか？　こんなことを漠然と考えながら帰宅したある日の夕方、ひとつのアイデアが閃《ひらめ》いた。

　帰宅と同時に、娘にフランス語で「パパはさっき転んで、電柱に激しく頭をぶつけちゃったら、日本語が話せなくなった」と真顔で伝えた。それを聞いた娘は呆気に取られたが、すぐにいたずらっぽい笑みを浮かべて「パパ、嘘ついてるんでしょ？」と日本語で聞き返してきた。それでもひたすら「え、日本語だと何言っているのか全然わからないよ」とフランス語で答え続けた。幸いなことに、妻はすぐにわたしの意図を汲み取ってくれて、この即興の芝居に乗ってくれた。

その晩はなんとか娘の追及をかわして、翌朝からのこどもの見送りの際に、他の父兄の前で（理解を求める目配せをしながら）日本語が理解できないフリを続けていたら、3日目あたりから「どうやら頭の打ちどころが悪いと、本当に言葉を忘れるらしい」と信じたのか、こちらからの問いかけに対して、日本語に交じえてぽつりぽつりとフランス語の単語で応答してくる。1週間が経った頃には、主語と動詞と対象語が入ったフレーズを娘は作り始め、家庭でのわたしとの会話はもっぱらフランス語になった。娘の友だちの間では、「頭をぶつけて日本語を忘れたお父さん」として有名になってしまい気恥ずかしかったが、娘のフランス語の表現力がどんどん発達することがただ嬉しかった。

それからは毎日、家にいる時以外でも、スーパーや飲食店で店員と意思の疎通を図る時、タクシーの運転手に行き先を告げる時、そして日本人の家族や友人、仕事相手と会う時など、とにかく娘と一緒にいる日常のあらゆる場面で日本語が話せないフリをし続けていたら、彼女のフランス語はまるで乾いたスポンジが水をどんどん吸収するように、加速度的に上達していった。

関係性のなかの能力

急速にフランス語を学んでいく娘の姿を見ていて、事後的に分かったことがある。娘には言葉を発する能力はすでに潜在していたが、文法を間違えることへの恐れや慣れない言葉を口にする恥ずかしさが、その開花を妨げていたのだ。その心理的な障壁は、誰のせいでもなく父に起こった「事故」によって、いとも簡単に乗り越えられた。すぐに間違いを怖れなくなり、むしろ積極的に間違いながらも自由に発話することで、新しい言語を自分の身体に根付かせていった。

擬似的な「失語症生活」は、わたし自身にも大きな負荷をかけた。近所の人々や行きつけの店の従業員からは不審がられた。家族や友人たちが家に遊びに来ても一人だけ蚊帳の外に置かれるという孤独を体験し、現地の言葉を解さない外国人の心労を噛み締めた。同時に、この過程で自分自身の言語野が再構成されるようにも感じられた。日常で日本語の発話が減り、フランス語の会話が増えるのに比例して、久しく使っていなかったフランス語の単語や表現が思い出されてきたのだ。

１ヶ月ほどが経ち、娘が電話越しで、少し気恥ずかしそうにしながらも自分からフランス語で語りかけてきた頃には、自分がこどもの時にはじめてフランス語の文章を繰り出せた時に感じた興奮がフラッシュバックのように甦った。

結局、この生活は4ヶ月ほど続き、引っ越しを契機に一度終わらせた。引っ越し業者との打ち合わせや新しいご近所への挨拶回りの際に、カタコトの日本語ではさすがに埒《らち》が明かない。娘のフランス語の発話能力は十分に「離陸」したようにも思えた。そこで引っ越しの準備をしているある週末に、娘が玄関のドアを開けたところを見計らって、勢いよく頭をぶつけた。勢い余ってこぶができそうなくらい痛かったのだが、数ヶ月ぶりに娘の前で「いてて」と日本語でつぶやいた時の娘の驚いた表情が忘れられない。「Tu parles en japonais!［日本語で喋ってる！］」と叫んだのだ。

関係性の環世界を描く

その瞬間から翌日くらいまで、わたしと娘はとても不思議な時間を過ごした。4ヶ月の間に醸成され、二人を包んでいたフランス語の皮膜が消え去り、日本語で交わす言葉がひどく人工的に聞こえたのだ。はにかんだような、変な顔をしながら「パパと日本語で話すの、なんか変だね」と娘は繰り返していた。この「変な感じ」は翌日からは薄れていった。まさに言語的相対論的な変化を身体で感受した時間だった。

片方の言語能力が減退することで、他方の言語学習が加速する。これはわたしが演じた虚構によって意図的に作られた状況だが、自分と娘の二人だけに固有の言語的な環世界が一定期間、たしかに生成されたように思う。この関係性の皮膜は、二人の環世界を架橋するひとつの空間として存在し、わたしと娘は共にそこに行き来していた。

この家庭内「実験」を振り返ると、ベイトソン父娘が実践したメタローグの意味があらためて理解できるように思える。それは、自らの認識方法を変えることで、相手との関係性を設計《デザイン》するということだ。親子という生物学的に固定した関係性においても、架空の対話を記述したり話す言語を変えることが、共進化を起こす。学習行為とは個の中だけで行われるのではなく、他者との関係性のなかで発達すると実感した。今回はわたしの悪巧みが発端となったが、学習を行う必然性が娘に生じる状況を、一種の場の設計《デザイン》として作り出した。

つぎに、ひとつの能力が線形に上昇するプロセスではなく、複数の能力が増減や進退を繰り返す「変化」が学びだともわかった。

変化する二人の関係性そのものが一つの共通の環世界をかたちづくる感覚も生まれた。互いをつなぐ方法としての言葉が、関係そのものにフィードバックされ、互いのコミュニケーションを規定する構造《アーキテクチャ》がそれまでとも違うかたちになる。今回は父娘という均質性の高いケースだったが、初対面同士や、友人同士の関係においても同様に、固有のコミュニケーション環世界が生成されるのだろう。

非生物学的関係性の環世界

こどもの誕生と成長を通して親が生まれ直す。親子という関係性の環世界には、円環的な時間が流れている。こんな感覚を日常的に生きるようになるとは、娘が生まれるまでは想像すらしなかった。だが、このように書き綴るうちに、こどもと暮らす以前からも、時として他者との会話のなかで自他の境界が曖昧に感じられる瞬間があったと思い起こされる。

そうすると次に、この不思議な時間感覚は果たして、親子という生物学的な関係に限定されるものなのだろうか、という問いが頭をもたげてくる。もしそうではなく、あらゆる非生物学的な関係性――友人、師弟や恋人同士――においても互いの環世界を重ね合わせることができるのだとすれば、それはどのようなプロセスを経るのだろうか。

たとえば、酒の席で友人と酩酊しつつとめどもなく会話を交わしている時。逆にしらふの時でも、たとえば聴衆のいる対談の場で話が弾み、相手との応酬がうまくまとまる時。

そんな時には決まって、お互いが何を話したかをよく覚えていない。覚えていたとしても、その内容を相手が言ったのか、自分が言ったのかが定かでない。つまり、自他の境界がゆらいでいくのだ。こういう場合は、会話に無理に筋を通さなくても良いと、了解しあえている。さらには、会話が脱線してもよいという安心感、目的を定めずに言葉のやりとりを楽しんでいられる自由を感じる。

現代において、コミュニケーションとは、自他の境界を明確に区切ることを前提にするものとされている。対話《ダイアローグ》とは、二人の人間の考えていることの差異、つまり「重なり合わなさ」によって駆動される形式だ。しかし、「重なり合い」がコミュニケーションを規定する場合は、どのように形式化できるのだろう?

共話《きょうわ》という形式

そんなことを考えていた時、能楽の師匠である安田登さんから「共話」という言葉を教わった。

能楽の謡本を読んでいると、シテ方（曲の主軸となる役）とワキ方（シテと対話する役）、そして地謡《じうたい》（舞台で舞わず、舞台の端に座って合唱をするグループ）の台詞が有機的に交わっていることがわかる。特に、物語がクライマックスを迎えるあたりで、シテとワキが台詞を互いにリレーしながら、会話を協調的に進める場合がある。安田さんいわく、このようなパートは「共話」として読むという。

藤原定家と式子《しきし》内親王《ないしんのう》の悲恋を題材にした『定家《ていか》』という演目がそうだ。定家がかつて建てた家に旅の僧が雨宿りに訪れる。そこにどこからか女性が現れる。生前、定家は式子内親王を慕い続けたが、思いを成就することなく死んでしまい、その執心が葛《かずら》に乗り移って、式子内親王の墓に絡みつき、彼女の霊が苦しんでいるという。二人は墓に赴き、内親王の霊が成仏できるように僧が経を上げると、実は自分が式子内親王その人の霊だと女性は告げる。

演目の終盤にさしかかる場面で、二人は次のような共話を交わす。シテは式子内親王の霊で、ワキは僧である。

シテ　あらありがたやげにもげにも、これぞ妙なる法《のり》の心。
ワキ　あまねき露の恵みを受けて、
シテ　二つもなく、
ワキ　三つもなき、
地謡　一味の御《み》法《のり》の雨のしただり、皆潤いて。草木国土、悉皆《しっかい》成仏の機を得ぬれば、定《てい》

　家葛《かかずら》もかかる涙も、ほろほろと解けひろごれば、……

　ここでは僧と内親王が互いに未完成の文章を投げ合い、協働して語りを進めていく。興味深いのは、最後のワキの台詞がフレーズとして完結することなく終わり、直後に地謡が続いている点だ。二人の掛け合いから急に、風景描写へと移行している。

　映画でいえば、メインの登場人物たちのクローズアップから一転して、遠景のシーンにつなぐような編集だろうか。この描写は、共話を介して一つの主体となったシテとワキが、そのまま背後の風景へと融け込んでいくイメージを喚起させる。定家の執念と内親王の霊は次第にほだされていくが、僧の心もまた充足されていると想像される。まさに自他、そして世界が重なり合う情景が、言葉にしがたいカタルシスをもたらす。

共話と対話

　言語教育学者の水谷信子は、日本に留学に来ている学生たちの日本語習得のプロセスを観察し、日本語で自然な会話を構成する要件として、「共話」を挙げている〔水谷信子、「『共話』から『対話』へ」、『日本語学』第12巻第4号、明治書院、pp.4-10、1993〕。共話とは、次の例のように、話者同士が互いのフレーズの完成を助け合いながら進める会話様式を指す。

A：「今日の天気さぁ」

B：「うん、本当に気持ちいいねぇ」

こんな何気ないやり取りにも共話の特徴が見られる。まず、Aは未完成のフレーズを宙に放り投げ、それをBが受け取って完了させる。この時重要なのは、「気持ちいいねぇ」という結論にAが同意するかどうかではなく、あくまでBがAの意を受け取ろうとしている点だ。次に、「天気が気持ちいい」における「天気」という対象語をBはAから受け継いでいる点。さらに、あいづちの「うん」から受け継ぎを開始している。

水谷の観察によれば、どれだけ日本語の文法や語彙をマスターしていても、共話が行えない学生は日本人とスムーズに会話できないそうだ。最初から終わりまで、文句のつけようがない完璧なフレーズをまくしたてても、文法的には間違いないが、日本語の会話としては自然に響かない。それよりも、途中のフレーズを未完成のまま相手に委ねたり、あいづちを打たせる隙を与えたりする話法を習得している留学生は、ネイティブに近い日本語の会話を展開できるという。

　興味深いことに、一般的な会話の中のあいづちの量を、日本語と英語、中国語で比較した実験がある。この場合のあいづちとは、「ええ」「はい」「うん」といった発話もあれば、首肯などのジェスチャーも含まれるが、日本語の会話におけるあいづちの量は英語と比べて2・6倍に達し、首肯の量は3倍に上るという研究結果がある〔Maynard, S. K., On back-channel behavior in Japanese and English casual conversation, in Linguistics Vol.24 Issue 6, pp.1079-1108, 1986; 泉子・K・メイナード、『会話分析』、くろしお出版、１９９３〕。

　水谷は、あいづちを「話の進行を助けるために、話の途中に聞き手が入れるもの」と定義している〔水谷信子、「あいづち論」、『日本語学』第7巻第13号、pp. 4-11、１９８８〕。あいづちの定義を辞書で見てみると、「鍛冶などで、師の打つ間に、弟子が槌を入れること。また、互いに槌を打ち合わすこと」とある〔精選版日本国語大辞典（小学館）〕。そこから「相手の話に巧みに調子を合わせること」という意味が派生したように、日本では一種のコミュニケーションの技巧《テクニック》として根付いている。

　このあいづちが問題となるのは、英語の場合ではあいづちを打つと「賛成」の意味として受け止められることが多いからだろう。アメリカ人の中には日本人と会話していてずっとあいづちを打たれていたのに、最終的に意見が異なると、「裏切られた」と思う人もいるらしい。

また、あいづちについて、アメリカでは発話が未発達なこどもを勇気づけるためという考えがあり、大人相手にあまり執拗にあいづちを打つと、こども扱いされたと気分を害する場合もある。日本では、文の後半をあえて省略して相手にその完成をゆだねることが、一緒に文を作る共話的な態度として日常的に歓迎されるのに対して、英語でそのような話し方をすると「稚拙」と評されてしまう。単に文化間の表面的な差異であるだけでなく、それぞれの言語の選択が「自己」の認識論に深く影響を及ぼすようにも思える。

「私」の濃淡がゆらぐ

フランス語を覚えたての頃、娘はよく主語を抜かしたフレーズで話しかけてきた。習ったばかりの単語を組み立てて、お腹が空いた、おもちゃで遊びたい、といったことを訴えてくるのだが、いずれも主語が抜け落ちていて、非常に不自然なフランス語である印象を受けた。たとえば「遊びたい」は「Je veux jouer」と、Je＝自分を入れないと意味が通らないが、彼女は単に「veux jouer」と言ってくる。

娘はいちいち「わたしは」と主語を置かなくても意味が通じる日本語の話法が通用する

と思ったのだろう。その度に「自分は、という意味のjeをつけないと駄目だよ」と教えながらも、逆に日本語で常に「わたしは」と付けて話したらどんなに奇妙に響くだろう、とも思った。日仏語を巡る「わたし」のあつかいの違いは、話しているもの同士の関係性の在り方に影を落としている。一緒に会話を作り上げていくという感覚の度合いが、各言語で異なるのだ。

　もちろん仏語であろうと英語であろうと、ある程度は共話を交わすことは可能だ。実際につぶさに観察すれば、日本語以外の言語でも共話の例はたくさん見つけられるだろう。共話は日本語でより顕著なだけであって、つまりは「程度の問題」なのだ。それでも、共話の度合いが高いことで、自他の境界はより淡くなるのかもしれない。

　水谷は、日本語に多く使われるあいづちや共話の社会的効能を考察している。たとえば、「とか」「たりして」などの未完成の末尾を指して、「若い人たちも仲間のあいだでは仲間的な、『共話』的な話し方をしている」と書き、次のように述べている。

> 「共話」的な話し方のほうが楽しいからであり、気が楽だからである。全部言わなくてもわかってくれる相手がいることは、心を暖かくする。同じ気持ちの人間と一緒にいることは心づよいことである。「共話」が通じない相手と話をするのは、気が重い。こた

つに入っていると、外へ出ていくのが面倒になるのと同じである。

「共話」的な話し方が可能にする、ぬくぬくとこたつでくつろぐようなコミュニケーシヨンが、現代人の精神生活をどんなに支えているか、計り知れないものがある。〔以上、水谷信子、1993より〕

誤解のないように断っておくと、水谷は共話が対話に勝るとか、逆に日本語が諸外国語より劣っている、などという優劣は一切論じていない。ただ、共話と対話には、それぞれに固有の効能があると明らかにしようとしているだけだ。

思えば、主張を積み上げて議論を構築したいのに、共話的に話してしまったら話がまとまらないだろう。定まった主題を論じるためには、対話のようにAとBが順番に話《ターンテイク》し、論証の差異が明確となる対話《ダイアローグ》の方が効果的であると考えられる。だから、対話と共話は対立項ではなく、それぞれ別の目的に適している話法なのだ。当然、対話のなかに共話的な瞬間が顕現したり、逆に共話から対話に発展する場合もある。

その上で両者の形式的な違いに注目すると、共話とは互いの発話プロセスを重ね合う話法であるのに対して、対話とはターンテイクを行い、互いの発言をなるべく被せ合わせな

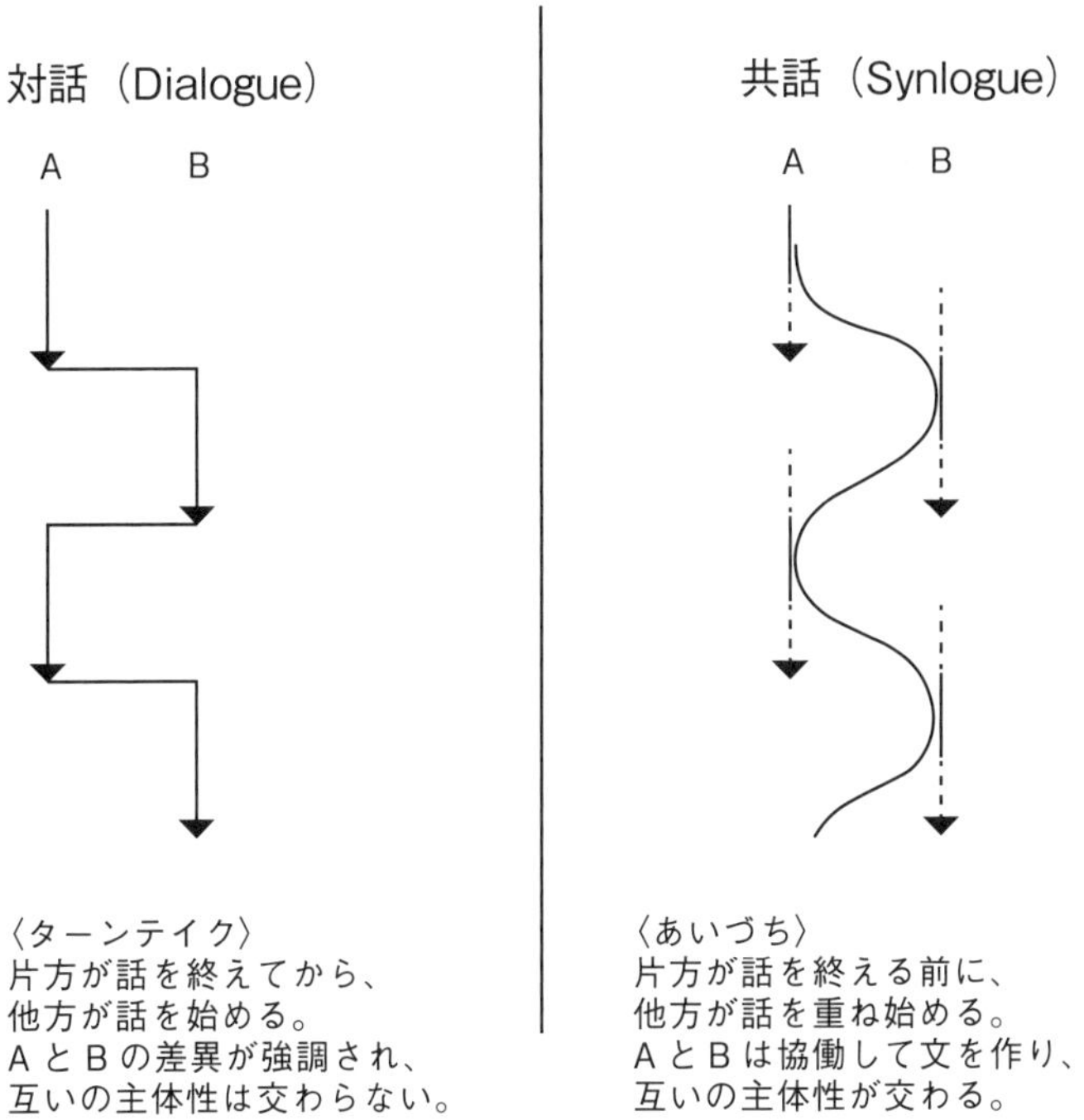

「対話」と「共話」［水谷（1993）の図から筆者が再作成し、AとBの間の線を付け足した］

い話法であるといえる。対話では、発話主体は明確に区別され、相手が言ったことを受けて次の発話内容が決まる。対して共話では、フレーズの主語が共有されることで発話主体の区別が曖昧になり、内容はリアルタイムに生成される。だから、対話では個々の主体の差異が明確になるが、共話のなかでは主体がコミュニケーションの場に融け込んでいく。

哲学者にして都市計画の専門家であるドナルド・ショーンは、「行為後の反省[reflection-on-action]」と「行為中の反省[reflection-in-action]」の二種類を区別し、特に後者の効能に注目した。行為中の反省とは、たとえば建築家がスケッチを描く時に、自らが引いた線を見ながら次の線の動きを決める、というほぼ無意識に近い認識のプロセスのことである。しばらく描き続けた結果をまとめてふりかえる「行為後の反省」とは異なり、行為の只中で行為の結果を身体にフィードバックしながら生まれるミクロな反省を指している。ショーンは卓越した建築家の設計プロセスをつぶさに観察して、彼らがとても細かく行為中の反省を働かせていることに気づいた。

ショーンの議論を援用すれば、対話では互いの発話の事後に個々の話者が反省の上で次の発話を決定するが、共話では相互の発話内容が共有の素材となり、互いの発話の最中で反省が働いていく。そこでは、話者同士が互いの知覚の一端を担い合うように、それぞれの知識と記憶を喚起し合う。そうしてコミュニケーションの場が、川の両岸の中間に位置する中洲のような、一種の共有地《コモンズ》として生起する。

言葉の共有地《コモンズ》を求めて

「共話」が最も象徴的に扱われている能の曲は他にもある。刀鍛冶が刀を打つ際のパートナーとしての「相槌を打つ相手」を求めるところから始まる『小鍛冶《こかじ》』という作品だ。この作品は、刀鍛冶の宗近（ワキ）と稲荷明神の化身（シテ）が、舞台上で相槌を打ちながら一条天皇に奉ずる刀剣を鍛え上げるシーンで終わる。

ある時、『小鍛冶』の稽古を受けたその直後に、安田さんが国立能楽堂で『小鍛冶』を実演されたので、謡本を抱えて鑑賞してきた。そして、アフタートークでの安田さんの指摘でハッとしたのだが、この作品ではシテとワキの会話が噛み合っていない。少なくとも言語のレベルでは、まるで成り立っていないのだ。

勅使に刀を打つように命じられたが、相槌を打てる相手がいないことに絶望した宗近は、稲荷明神の化身と出会う。その時、宗近は執拗に「お前は何者だ」と問うのだが、稲荷明神はそれには答えず、遠く中国の漢朝から、ヤマトタケルの草薙の剣に至るまで、これまで優れた刀剣が乱れた世を鎮めてきたことを説き、ただただ自分の力を信じて刀を打て、と伝える。
次に舞台の上に壇が拵《こしら》えられ、会話のないまま二人が刀を打つシーンになり、地謡とシテが情景描写を続ける。この作品ではシテの稲荷明神の化身の台詞が地謡によって引き継がれるシーンが多い。これで、自然世界に属する稲荷明神が物語の背景となる世界そのものと共鳴しているような効果が生まれる。そして人間である宗近は、自然と同化した超越的存在と、言語ではなく相槌という身体的な共同作業、つまり非言語的な共話を通して、最終的に目的を成し遂げる。観客は、自然世界と重なり合いながら刀を仕上げる宗近に自分を投影するわけだが、ここでも『定家』と同様に、人格が背景に消失していく感覚が生じる。

わたしたちはどうして、人間が自然世界に融け込んだり、その境界線上を行き来する夢幻能の描写に心を動かされるのだろうか？　この認識論は、古代インドのバラモン教由来で密教に取り入れられた「梵我《ぼんが》一如《いちにょ》」という概念を連想させる。世界と自我の一体化を指すこの言葉は、アジアの広範な地域に根付く宗教的な感覚なのかもしれない。

この世のものならざる亡霊や神といった存在と人間が共話する光景は、言語を用いた会話から始まり、非言語的な相互作用へと至るプロセスとして描かれている。奇しくも『小鍛治』では、ベイトソンがメタローグの定義として書いた「自然と人間の会話」が実現している。自然そのものを体現する稲荷明神は宗近にとって、進化［evolution］を促す環境変化として、ただそこに在るだけだ。稲荷明神には人間的な意志はないが、宗近はただ一心不乱に向き合い、そして変化を遂げる。この作品はだから、進化の過程を記述する一種のメタローグとしても読めるのだ。

　そこではまた、主体と環境との空間的な区別が曖昧になるのと同時に、時間の流れも混交しはじめる。『定家』におけるように、非現実の存在と、現在を生きる人間の心がつながり、過去と現在が複層的に重なり合っていく。

弔いと祝いがつながる

　現代的な文芸で、このような時空の捻れを積極的に表現しているのはサイエンス・フィクション［ＳＦ］のジャンルだろう。親子の関係を、言語的相対論をモチーフに描いた、テッド・チャンの『Story of Your Life』〔初出は１９９８年。邦題は『あなたの人生の物語』。２０００年ネビュラ賞中長編小説部門受賞〕というＳＦ作品をまず想起する。

　この物語では、主人公である言語学者の女性が、世界中に突如出現した謎の宇宙船の秘密を探るために合衆国政府に請われ、ヘプタポッド［七本脚］と呼ばれる宇宙人たちとの会話を分析する。その過程で、ヘプタポッドたちが地球人とは全く異なる文法を持っていることに気づく。彼らは円環的な話法を用いていて、ひとつのフレーズのなかに過去、現在と未来の時制が混在している。また、音声による会話と視覚的な記法（文字）で、いくつか異なる言語を使用していることがわかった。主人公は特に「ヘプタポッドB」と名付けた文字を研究することになる。そして「ヘプタポッドB」の理解が進むに連れ、主人公の記憶に異変が生じ始める。「ヘプタポッドB」が意識のなかで優勢になることがあり、その間は過去と未来を「同時に」経験するようになるのだ。

この短編作品は、主人公の娘に宛てて書かれたパートと、ヘプタポッドとの邂逅《かいこう》の描写のパートが交互に繰り返される構成をとっている。冒頭で、主人公は娘に向かって、娘の父親とこどもを作ろうと決めた瞬間について語るが、実はこの娘は物語の終盤ではまだ生まれていない。主人公は物語を通して、ヘプタポッドの円環的な言語の認識を身体に宿しつつ、未来に生まれる娘と過ごした数々の記憶を思い出しながら、こどもに語りかけていたのだ。そして、主人公は、娘が若くして自分よりも先に死んでしまうこともわかっている。それでも、ヘプタポッドたちが去った後に、娘を生むことをひとつの必然として、受け容れる。

この物語を論理的に説明するのは難しい。むしろ粗探しをする方が容易かもしれない。

ヘプタポッドの言語的認識論の影響を受けたとしても、未来の、まだ到来していない情景が見えるというのは、「想起」ではなく「予知」ではないか？　もしくは、既にこどもの誕生と死を経験し終えた後の主人公が、時制の認識を失って錯乱しているだけでは？

　こうした指摘に対して、それらしい説明を試みたとしても、あまり意味はないだろう。この物語の本質はシナリオの論理的整合性ではなく、こどもとの別れを了解しながら、その誕生を受け容れる主人公の心理描写にこそあるからだ。

　こどもが自分に先立って死ぬことを予め分かっている母親が、それでもその子の誕生を決意する。読者は物語を読み終わる時点で、まだ生まれていないこどもの死を悼む立場に置かれる。

　奇妙なのは、それと同時に、これからこどもを生む主人公の喜びも喚起されることだ。なぜなら、物語の終わりにこどもの死が予定されているという事実が明かされるまでは、読者は主人公がこどもと過ごす幸福な時間を共有しているからだ。

　わたしは、この母親の選択に対して一人の親としての共感を覚えると同時に、生まれてくるであろうこどもに対して祝福の念をも抱いた。そこには弔意《ちょうい》と祝意《しゅくい》という、普通は相反する祈りの感情が混交している。

　だから最後の頁を読み終えた時に、悲しみと喜びが混在した、不思議な感情の波に襲われた。その感情の振幅は、自分自身の娘の誕生に立ち会った際に体験したものと相似していた。言ってみれば、まるで種々の色に分光される前の光の束を浴びるように、いつか訪れる喪失と同時に、永遠に失われることのない獲得を経験することのように感じられる。

世界そのものとの共話

作者のチャンは『Story of Your Life』を書き上げるために、5年かけて言語学のリサーチを重ねたという。チャンが宇宙人の言語によって人間の認識が変容するというサピア＝ウォーフ仮説的なテーマを選んだ背景には、彼が台湾からアメリカへ移住した家族の二世であることも関係しているかもしれない。

『Story of Your Life』ではなぜヘプタポッドたちが地球に到来し、人間と会話しただけで去っていったのかは、最後まで謎のままだ。人間に具体的な要求を伝えるでもなく、新しい技術をもたらしたわけでもない。原作ではその先の話は描かれていないが、ヘプタポッドの円環的な時間認識が地球社会に転移し、未来に訪れる運命を能動的に受容する新しい人間の誕生を想起できる。この流れは、まるで『小鍛冶』における宗近が、稲荷明神の化身と相槌を打ちながら、世界そのものへと融合し、変化を遂げる様子と重なるようだ。

　夢幻能とサイエンス・フィクションという異なるジャンルの作品に共通して現れる「世界そのものとの共話」というモチーフのなかで、両者ともに死者の存在が重要な位置を占めている。それは一体なぜなのだろうか。このようなことを考えているうちに、おのずと死にまつわる文化について調べるようになった。

第九章 「共に在る」ために

こどもの誕生をきっかけに、自分の死を以前ほど怖れなくなったという人の話をよく聞いていた。自分もこどもが生まれてから、そのことがわかるようになった。だからといっていつ死んでも良い、ということではない。少なくともこどもが自立するまでは、彼女の安全な生活と健やかな成長を物理的に支えなければ、死ぬことなんてできないと思う。

そうだとしても、たとえ治安の良い日本で生活しているとはいえ、いつ、どのような理由で生命を絶たれることになるかは、誰にもわからない。だから、子育てに一番手がかかる最初の3年ほどが過ぎて、物事を考える余裕がすこし出てきた頃から、自分の不慮の死に備えて、遺言を書いておこうかと、漠然と考えるようになった。

ここでいう遺言とは、財産分与に関する法的なものではなく、こどもに宛てた個人的なメッセージという程度のものである。それでも、仕事で多忙に生活する中では、遺言を書こうという気はなかなか起こりづらい。自分の突然の死を前提にして文章を認《したた》めるのは、気が重い作業に思われた。

ここ数年は確かに少し過労気味ではあるが、特段重い持病があるわけでもなく、まあ、まだ大丈夫だろう。このように自分に言い訳をしながら、先延ばしにしてきた。しかしある日、とうとう遺言を書いてみるという「仕事」を自分に課すことになった。仲間と進めているアートプロジェクトのなかで、遺言というテーマを扱ってはどうかと提案したのだ。

遺言の執筆プロセスを記録する

ある日、国際芸術祭「あいちトリエンナーレ２０１９」の芸術監督に就任した津田大介さんから『タイプトレース』の出展依頼を受けた。「情の時代」という津田さんの設定した展示コンセプトは、情報技術と人間の情動の両方の観点から研究を行ってきたわたしには、とてもしっくり来るものだった。

当初は２００７年の小説バージョンをそのまま展示することを提案されたのだが、最初の展示から10年以上が経ち、どうせなら新しい内容にしたい。そこで最初に考えたのが、特定のプロフェッショナルの創作ではなく、不特定多数のインターネット・ユーザーから短い文章を集める、という形式だった。それも、ＳＮＳという公共の場ではなく、私的な関係性のなかで人々が紡ぐ言葉を集めたいと思った。

　というのも、その時にはすでに、わたしの大学での研究の一環として、ブラウザでアクセスできるタイプトレースの新バージョンを開発して、それを使った認知心理実験を行っていたからだ。タイプトレースを使ってチャットをすると、普通の静的なテキストのチャットよりも、書かれた内容においても、書き手の心理状態においても、感情が生起しやすいという傾向が見えていた。わたしはいまも、タイプトレースの認知実験を続けており、タイプトレース文を読む人間の瞳孔《どうこう》反応、表情や視線の変化を分析したり、書かれる文章の自然言語解析を続けている。作品の展開を通して不特定多数の人々から多くのタイプトレース文が集まれば、それを分析することで新しい発見につながるかもしれない、とも考えた。

　それでは、一般の人々に何を書いてもらうのか。テーマについてあれこれ考えるうちに、自分の死が子の誕生によって「予祝」され、恐怖を感じなくなった、という体験を思い出した。そして、まず自分が娘に宛ててどのような最期の言葉を綴るのかが気になりはじめた。

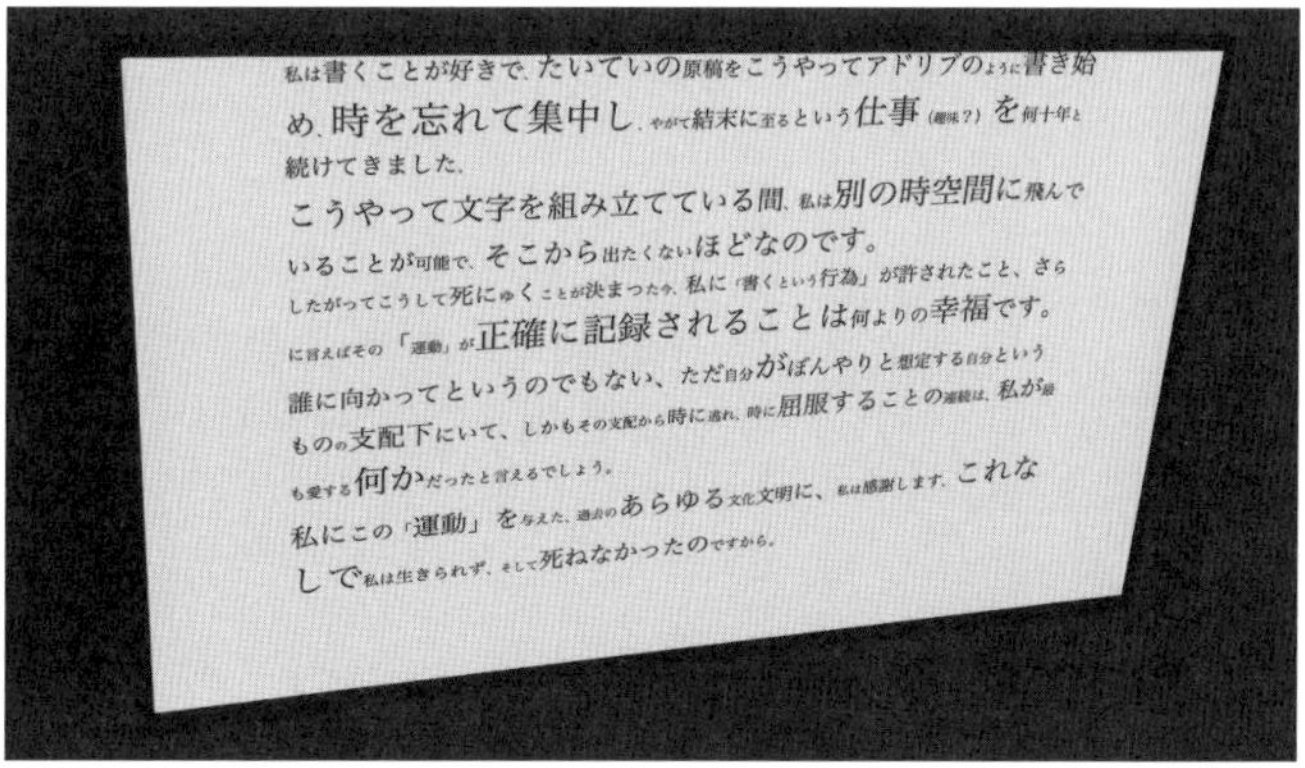

作家、いとうせいこう氏によるタイプトレースで書かれた「遺言」の再生画面

ならば率先して書いてみなくてはと思い立ち、開発版のタイプトレースを開き、即興で書いてみることにした。この時に、多くの人が書き出しやすい遺言のフォーマットを考えて、自分自身の執筆の際にも適用してみた。

・自分のそれまでの人生についての漠然としたひとり語りは書かないこと。
・生前にお世話になった人たちや不特定多数に漠然と向けて書くのではなく、誰か一人に宛てたメッセージにすること。
・執筆の時間制限を設けること。たとえば10分以内など。
・その遺言の有効期限は1年程度だと想定し、来年になったらまた新しいバージョンを書くくらいのつもりで、決定版を書こうとは思わないこと。

ひとまずできるだけ気軽に書ける設定を考えてみた。そして、9月のある日の夕方に、自宅の書斎の机に座って、あまり深く考えずに娘に宛てた遺言を書き出してみた。

遺言に学ぶこと

生まれてはじめての遺言の執筆体験は、自分自身の認知心理に強烈なフィードバックを与えるものだった。

執筆にかかった時間は全体で９分30秒ほどだった。ただ、最初の２分ほどは「なぜ今遺言を書くのか」という前置きに使ってしまったので、直接娘に宛てて書いた部分は正味７分ほどで、文字数をカウントしたら、３６７字だった。思ったより短くなったのだが、いざ書き出してみたら、あまり長く、説明的なことは書けなかったのだ。実際、書いている途中で、色々な感情が沸き起こってきて、途中で何度もタイピングが止まってしまった。また、文体についても、「今、自分が急死した場合」を想定し、いつか成長してから読まれるものとしてではなく、６歳半の娘でも理解できる書き方を選んだ。そのことも手伝ってか、直接語りかけるようなフレーズをつなぎ、抽象的な言葉は少なく、日常の延長にある文章になった。

共同制作者の遠藤さんにもまた、小さいこどもがいる。そこで自分の書いた遺言を送り、彼にも自分のこどもに向けてタイプトレースで遺言を書いてもらった。

彼から送られてきた遺言は20分ほどで書かれていて、分量としては自分の３倍くらいあった。また内容は、こどもが成長してからじっくり読むと想定したスタイルで、親としての子への祈りが丁寧に綴られている点も、わたしの書いた文章とは異なっていた。

その子はまだ4歳になったばかりの男の子で、まだわたしの娘ほどは難しい言葉がわからない。その分、ひとりの父親の息子に対する等身大の思いがストレートに表現されていた。この遺言を読ませてもらうことで、親が子に向きあう姿勢について少なからぬことを学んだ気がした。だから次に遺言を認める時には、もう少し長く書くかもしれない。

　この時は自分自身と親友の、二つの遺言を見たに過ぎなかった。それでも、二つに共通しているのは、こどもの未来に対する祈りと言祝《ことほぎ》が、その結語に記されているという点だ。また、これも書く人によっては差が生じるだろうが、ともに正の感情が支配的だと感じられた。

　そこで参考までに、二つの文章を自然言語解析ツールの感情分析にかけてみた。これは、任意の文章を解析器に与えると、文章の構造解析を行い、感情価、つまりどれほどの感情を喚起するものかを確率論的に計算する。当然、読む人の主観によって解釈も喚起される感情も異なるため、これは当否の問題ではなく、統計的な傾向を示すものに過ぎない。しかし、逆にいえば、個人的なバイアスを排して、一定の客観性に基づいた検証を行う上では有効に使える。

　試しに計算を行なってみたところ、自分と遠藤さんの遺言はともに感情の正負を示すスコアが＋0・5（最大値は±1）と、大きく正の方に振れていた。メールやチャットなどの、異なる様式の同じ長さの文章と比較しても、かなりポジティブな感情を喚起する語彙が多いことがわかった。また、感情の振幅の大きさを示す値（文章の長さに応じて加算されていくもの）もわたしのものが7・7、彼のものが19・1と、かなり大きいものだった。こうした簡単な分析は、人が自分の死後にも存在し続ける世界に向けて連ねる言葉について考えていく上で、手がかりになるように思えた。

祈りを遺すということ

娘への遺言を書き終えてから、買い物ついでに近所にある大きな公園をひとりで散歩した。秋の夕方の淡い陽光の中、少し離れたベンチにぼうっと座って、こどもたちを見守る親たちを見ながら、「この人たちは、こどもに向けてどのような遺言を書くんだろうか」という思いにしばし耽った。

その時、親子が向き合って過ごす間の、瞬間毎に見せる表情や言葉の記憶が、非言語的な「遺言」を形成しているのかもしれないと思えてきた。であれば、わざわざ文章というかたちにして遺言を書く、ということは必要がないのかもしれない。あるいは、遺言というのは書き手の自己満足であって、文章という固定化された「想い」を遺された側にしてはある種の呪縛になる場合もあるかもしれない。

それでもわたしたちは、相手に届けられることなく儚く消え去っていく想いを、言葉として書き留めておくことができる。それは、相手には届くかどうかわからないという意味で、「祈ること」に似ている。

祈りの内なる声は、他者には聞こえないが、遺言もまた、自分が死ぬ時までは人に読まれない。だから、人が遺言に死後の祈りを託す時、世界そのもの――人によっては神や仏といったイメージかもしれない――にメッセージを投げかける。それは、相手が受け止めたとしても、自分では応答を受け取ることができない、特殊な発話行為だ。もしかしたら、相手に続きを委ねた、終わりのない共話、もしくはメタローグの起点かもしれない。それはまた、自分の死後という、自らが一切関与できなくなった世界、相手が生きるであろう世界、に向けて抱く、希望の表明でもある。このように考えると、遺言を書くということは、自分の死後に想像不能な未来が開かれていることを祝福する作業のようにも思えてくる。

重なり合う「最期の言葉」

世の中の人々から、果たしてどのような関係性のテキストが集まるのだろうか。あいちトリエンナーレのためにわたしたちはタイプトレースで書かれた遺言の募集を２０１９年４月から開始し、展示が開始するまでの４ヶ月間で１５００件ほどの投稿が集まった。そのうち、内容を精査し、１０００件ほどのテキストを選択し、展示会場に設置した24台のモニターで「上映」を始めた。

それぞれのモニターから漏れ出るタイピング音が重なり合い、会場に入ると一瞬、雨が降っているように錯覚する。中央に設置した、タイプトレースと連動するキーボードとディスプレイの置かれた机を見ていると、書き手の気配と面影が察知できる。

集まったテキストの関係性は実に多様だった。親から子へ、子から親へというパターンはもちろん、それ以外にも恋人や結婚相手、友人、なかにはペットや故人に宛てたものもある。家族と一緒に「有権者の皆様へ」と宛てた政治家もいた。

印象的なのは、募集の形式として「特定の誰かへ宛てたもの」と定義したにもかかわらず、「みんなへ」や「フォロワーの皆さんへ」、「お世話になった方々へ」など、複数の相手に書く人が想像以上に多かったことだ。特定の一人ではなく、自分と関係のある人々の集合に向けて、感謝や離別の挨拶を表すテキストはまるで、本人による生前葬のスピーチのようだ。

募集の間、投稿を募集するシステムと、展示でディスプレイに映すシステムをプログラミングしていた。自分の作業用ディスプレイに次々と映し出される人々の「最期の言葉」を目にしていると、書き手に直接語りかけられているように感じる。時には、書かれた言葉に自然と涙が流れてきて、手が止まってしまうことも何度かあった。

展示期間中の２ヶ月の間にも、続々と投稿は増えて、10月に入った時点では総数２０００件を超えた。10代から90代に至るまで、実に多様な人々からの投稿をすべて読む過程で、時には見知らぬ人々の生に直に触れるような感覚を抱かされもした。わずか10分という短い時間ながら、書き手と宛先との関係性に、読み手の視点が移入する。そのわずかの間、読者はありえたかもしれない、別様の生を生きる。

無言の声に聴き入る

「あいちトリエンナーレ２０１９」では周知の通り、「表現の不自由展・その後」という企画展で天皇の肖像を扱った作品、そして韓国における旧日本軍の慰安婦を象徴した『平和の少女像』が展示されたことに対して、多数の匿名の脅迫や政治家による不当な抑圧、そして文化庁による補助金の不交付という前代未聞の決定を受けるなどし、図らずとも社会の分断が可視化されてしまった。少なくないアーティストがこの事態に対する抗議として、展示作品の取り止めを決定した。

わたしたちもこの問題を重く受け止め、長く考え続けたが、わたしたちの展示作品は政治思想の左右に分断された今日の社会に対するひとつの対案でもあるため、芸術祭の開催期間の最後まで展示を続けることに決めた。およそ２０００人の投稿者のうち、さまざまな政治思想の人がいるかと想像される。しかし、死、つまり生の有限性を意識するという作品のセットアップのなかでは、社会的な分断は後退し、同じ人間同士としての接続可能性が示されている。

もともと、『タイプトレース』で文章を書き、公開することとは、本質的に書き手の「弱さ」を開示する行為である。誤字や脱字を書き直したり、「言いよどみ」のような間《ま》といった不完全さが記録され、可視化される恥ずかしさが伴う。だからこそ、関係性の片側から一方的に書かれた文章であっても、そのプロセスを目にしていると、もう一方の人間の輪郭が浮かび上がる。また、他人である読者もいつのまにか、当事者としてテキストの語りのなかに自己を投影する。文字が打たれる間から、書き手の切実さが立ち上がってくる。

ツイッターのような誰でも読めるパブリックなＳＮＳにおいては、文字は確定した状態で共有される。当たり前だが、それは本や新聞といった従来の印刷メディアと同じだ。文字が書かれた時間は捨象され、写真のように、過去の思考の断面を切り取ったものとして文章が固定化される。このコミュニケーションは、順番に発言を応酬する対話の形式をとっている。

しかし、『タイプトレース』を介したテキストを読む時、読者は相手の文字を聴いている感覚を抱く。書かれる途中で、読み手は次に出てくる言葉を想像する。ひとつひとつ画面に現れる文字を見ていると、相手の思考現場に居合わせている気がしてくる。読み手は一方的に受け取るだけで双方向なコミュニケーションではないのだが、相手の思考プロセスに自分のそれが重なるという認知は共話に通じるようだ。タイプトレース文を読む時、読者は書き手と「共に在る」感覚を抱くのだ。

「共に在る」という感覚

『タイプトレース』の研究開発を続けながら共話について調べているうちに、文化人類学者の木村大治が書いた『共在感覚——アフリカの二つの社会における言語的相互行為から』（京都大学学術出版会、２００３）という本に出会い、「共在感覚」という概念について学んだ。コミュニケーションの本質に迫る内容だと思う。

木村は１９８０年代末からザイール（現・コンゴ）の農耕民ボンガンド族、後にはカメルーンの狩猟採集民バカ・ピグミー族の現地調査を行い、それぞれの日常的な会話をつぶさに観測している。本書を通して明らかになるのは、わたしたちが普段の会話において感じている「相手と共に在る感覚」は、文化によってかなり異なるということだ。つまり、「共在感覚」はある文化に特有のコミュニケーション構造によって変化する。そこから、共在感覚を設計可能な対象として捉える可能性も浮き彫りになってくる。

　木村の調査研究によるとボンガンド族の人々は、都市部に住んでいる人間の認識からすると「だいぶ遠くにいても一緒」という感覚をもっている。ボンガンドの人々に「いつ、誰と一緒にいたか」という調査を行うと、その時には顔が見えなかったはずの隣家の人間と一緒にいた、という報告がなされる。壁を隔てていても、「一緒にいる」と感じていることになる。現代の都市社会で、わたしたちは隣家の人には挨拶をするが、ボンガンドの人々は自宅からおよそ１５０メートル以内の範囲に住んでいる人々とは挨拶を交わさないらしい。その範囲の人々は常に「共に在る」と認識しており、わざわざ挨拶をする方がおかしいという感覚に基づく、と木村は推測する。同様に、壁越しに聞こえる隣家の話し声に突然反応して家の境界をまたいだ会話が発生したり、１００メートル以上離れている人間でも呼ぶとすぐに反応が返ってきたりと、ボンガンドの人々はわたしたちの常識と比べると非常に広範囲で「共に在る」感覚を生きているようだ。

別の、バカ・ピグミー族の観察で、木村は「発話重複と長い沈黙」に注目する。バカ・ピグミー族の人々は集会で会話を楽しむ時に、時として一斉に話しはじめて、互いの発話が重なり合う。長い沈黙の時間が継続するのだが、それを誰も気まずいと感じていない様子らしい。わたしたちは普通、一緒に話し始めると、「どうぞお先に」と発言権を譲り合うし、沈黙が続くと気まずさを感じ、なにか話題を提供しようと内心躍起になったりしがちである。しかしバカ・ピグミー族においては、重複も沈黙も社会的に問題はなく、むしろ特有の価値とされている可能性がある。木村はこのような特徴に「拡散的会話場」という用語を当て分析している。

ボンガンド族にはもう一つ特徴的な発話の形態があり、木村はそれと似た現象をバカ・ピグミー族でも観察している。それはボナンゴと呼ばれ、村の広場で誰かがいきなり独り言を大声で話し始めることを指す。内容は非常にプライベートなことから、集落全体に関する意見までを含むが、興味深いのは誰もそれを面と向かって受け止めない点だ。村人はボナンゴをしている人のことを無視するし、話す方も気にしないで話し続ける。木村はこの「相手を特定しない、大声の発話」を「投擲《とうてき》的発話」と呼んでいる。

共在と共話

木村はまた、文化人類学者の川田順造がブルキナファソのモシ族の調査を行った際に発見した「シンローグ［synlogue］」についても言及している。

川田の『口頭伝承論』（河出書房新社、１９９２）では、モシ族が夜に集まり、お伽噺《とぎばなし》や神話などを全員で語り合う「座」の状況が描写されている。その場で語られる話は全員があらすじを知っているもので、そこでは「聞き手はまったく受動的な受信者ではなく、同時に『潜在的な話し手』」である。座は「聞き手の相槌や、さまざまなことばの介入があって進行し、ときには座の他の人々によって直され、忘れたりつかえたりしたところを補ってもらったりする」という。

木村はこのシンローグについて、バカ・ピグミーやボンガンドの人々における「完全に対話的でもなく、そうかといって完全に相手を特定しないブロードキャスティングでもない、ある範囲の人々をぼんやりと相手に発話するという状況」と共通点が多いと指摘している。

このようなアフリカ諸族におけるシンローグの特徴は、日本語における「共話」の構造とも類似する点が多い。それは共話が決して日本社会だけに顕著な現象ではないことを示唆している。たとえば、川田はシンローグの特徴として「声によって、一つの共同性がつくりだされる」と説明しているが、それはあいづちや首肯、そして相互に補完しながら会話を進めていく共話にも通じるだろう。

拡散的会話場や投擲的発話、そしてシンローグに共通しているのは、話し手と聞き手（儀礼的に無視をする場合も含め）との関係性のルール次第で、その状況ごとに固有の「共に在る感覚」が生成され得るという事実だ。共在感覚が生み出される仕組みは、会話のルールや使用する言葉に応じて、変容する。だから、コミュニケーションの構造を設計することによって、わたしたちは共在感覚を醸成するコミュニケーションの技法や技術を設計できるだろうし、共在の質についての評価指標を打ち立てることも可能になるだろう。

果てしない共有地《コモンズ》

わたしは文化人類学者としての訓練を受けていないが、異国の地で「他者との関係性」の認識を激しく揺さぶられる体験をしたことがある。

こどもが生まれる数年前、新婚旅行のためにモンゴルの草原に住む遊牧民の居住地に一週間ほど滞在した。なぜモンゴルに行くことにしたのかといえば、わたしも妻も、モンゴル帝国を題材にした歴史シミュレーションゲームに興じながら、草原を疾走する騎馬民族に憧れていたからだ。また、わたしは小さな頃から、モンゴル帝国がその最盛期に獲得した広大な領土によって、東西の文明が不可逆的に接続された文化史に強く興味をひかれてきた。

わたしたち夫婦は、首都ウランバートルから西に数百キロバスで走った大草原のただなかに設営された遊牧民のキャンプを訪れた。そこで一週間ほど、現地で野生馬を捕まえて貸し出す男性から毎朝馬を借りて一日中、草原を自由気ままに走り回るという日々を過ごした。どこを見渡してもなだらかな丘陵と平原しかない世界のなかで、ガイドに従ってその時々で行き先を決めながら彷徨《さまよ》っていると、時折別の集落を見つけることがあった。

そういう時には決まって、日本からの珍客として自分たちのゲル（遊牧民の住む円形の移動式住居）にこころよく招き入れて、手作りの馬乳酒やウルム（遊牧民が作るバターのような食べ物）をふるまい、大いにもてなしてくれた。

モンゴルの遊牧民はちょっと信じられないくらい気前が良い。それは、見知らぬ他者とつつがなく交易をおこなうために一千年以上をかけて獲得した知恵なのかもしれない。なにしろ遊牧民は、季節ごとに居住地を移り渡る生活のなかで、それこそ東西の異民族たちと出会ってきたのだ。頭ではそう理解したとしても、近隣の住民とでさえ交流が薄い東京のような大都市の感覚からすると、この自然な気前の良さはやはり尋常ではない。

わたしと妻はまた、現地でモンゴル風の結婚式を挙げた。夫婦ともに、億劫だという理由で家族や友人が住んでいる日本では結婚式を開かなかった薄情者なのに、この異国の地では知り合いが誰もいないから気楽でいいね、などと言い合って、滞在先の家族の方々にヴァーチャルな親を演じてもらい披露宴を開くことになった。観光客向けのサービスでたまにこういうこともするのかと聞いたら、したことがないという。

妻の父親役は当時35歳だった滞在先の家父長の男性で、わたしは彼のゲルまで馬に乗って参上し、美味いタバコとお酒を献上して「娘」を娶《めと》る許可を乞う、という「儀式」までさせてもらった。その後の酒宴では、近隣からも仮想の「兄弟」や「親戚」がかけつけてくれ、たまたま同時期に来ていた二人の日本人（彼らとは帰国後も友だちだ）も合わせて20人ほどで盛大な酒盛りを行った。

途中、モンゴルの歌をその場で教えてもらって合唱し、妻は日本の演歌やフランスのシャンソンを教えてみんなで声が枯れるまで熱唱した。わたしたちの「母」（「父」と同じく30代）は本当の母親のように妻を抱きかかえて歌い続け、わたしはほぼ同世代の「父」とウォッカで乾杯し続けた。「結婚式」は宴会をする口実に過ぎなかったが、それでもその晩は本当の家族のように笑いあった。

その翌日からも放浪三昧で過ごしているうちに、滞在先の居住地を離れる日がやってきた。その朝、毎日馬を借りていた牧場の主（「父」の実の兄）にお礼の挨拶に向かったわたしたちは、やってほしいことがある、とお願いをされた。馬とは別に飼っている牛たちを運動させたいので、馬に乗って牛追いをしてきてほしい、という。それまでやったことのない作業だったので少し戸惑いながらも、午後の出発まではまだ時間があったので、小一時間ほど牛たちを追いかけ回した。それから牧場に戻ると、よし、それでは最後に君たちに渡したいものがあるからついてきなさい、と告げられた。

主についていくと、一頭の白い馬の前で立ち止まった。他の馬よりも体躯《たいく》が大きく、走れば疾《はや》そうな、立派なオスだ。牧場主はそこでいきなり、この馬を君たちにあげよう、と言う。一瞬何を言われたのか理解ができず、慌てたように「大変ありがたいのだけど、これから日本に帰るので連れていけません」と答えると、そんなことはわかっている、と笑われてしまった。この馬をあげる、というのは、持って帰れ、という意味ではない。君たちが再びここを訪れる時には、君たちが自由に乗っていい。それまで、この馬を手放さずに面倒を見るから、と。

この牧場主は、いつまたモンゴルに戻ってくるかも定かではないわたしたち夫婦のために、大事な商売道具である馬を一頭確保し続けてくれるというのだ。わたしたちはそれまで、こんなかたちの「贈与」に触れたことは一切なかったので、すっかり言葉を失くしてしまった。

この白い馬は、手土産を渡すというのとは質的に異なる種類の贈与だった。物質的な財産とは普通、それを誰かに手渡した瞬間、その所有先が相手に切り替わり、そこで贈与という行為は完了する。他方で、この人が提案してくれたことは、自ら馬の飼育という負荷を引き受けながら、彼が生きている限り、そしてわたしたちがそのことを記憶し続ける限り、継続される種類の贈与だった。馬の使用権、などと書くといかにも野暮ったいが、遊牧民にとっては主な移動手段でもあり、貴重な栄養源でもある馬は、ことさら特別な価値を持っている。だから、それが権利の貸与や契約などという形式張ったものではなく、なによりも友愛の念を示すための贈り物であることに心を動かされた。

牧場主の厚意に深く感じ入りつつも、同時に自分が普段住んでいる世界で使っている「所有」や「共有」、「権利」といった言葉の定義がなんと狭く、貧しいものであるかを痛感させられ、恥ずかしくもなった。彼と抱擁を交わしてから、首都ウランバートルまで帰るバスが走り始めると、地平線に「父」が自慢のバイクに乗って、手を振りながらしばらく並走してくれる姿があった。

この悠久の草原で培われてきた関係の築き方は、わたしたち都市生活人よりもおおらかで暖かく、そして永い。わたしは帰りの飛行機のなかでこの一週間の記憶を反芻しながら、彼らの生き様から学んだことをただの「旅の思い出」として大事にするのではなく、日々の生活に取り入れられないだろうかと考え始めたのだった。

終わらない贈り物

あの白い馬を頂戴してからすでに10年が経ち、わたしたちはまだあのモンゴルの草原に戻れていない。それでも、ふとした刹那にあの遊牧民の人々を思い出す。

牧場主の彼はいまも元気に過ごしているだろうか。
あの白馬ももうすっかり老馬になっているだろう。
いつまた会いに訪れられるだろうか。
娘を連れて行ったら喜んでくれるだろうな。

儚い想起のなかで一瞬、彼らと共に過ごし、話を交わした体験が鮮やかに蘇る。せわしない都市生活の細々としたあれこれが背景に後退し、「父」や牧場主との会話を想像してみる。その刹那、気持ちが軽くなり、心は眼前の世界を離れて遊びはじめる。モンゴルでもらった、あの白い馬という「終わらない贈り物」は、かくも遠い距離と長い時間を超え、今日に至るまで持続する共在感覚を根付かせたようにも思えてくる。
　ベイトソンのメタローグとは、記憶のなかで話し相手を自己の内側に生起させる方法であった。であれば、思い出すという行為はそれ自体が微小なメタローグの契機を生むものだとも言える。父のなかで、または娘のなかで、相手を生かし続けること。この構造は家族同士ではない関係であってもひとしく、記憶のなかで相手との共在感覚を持続させるだろう。

　思い出すという行為は、現在のなかに過去の経験を挿し込み、現在にフィードバックさせるものだ。その意味では、過去は終わらないし、未来の在り方にも関わってくる。いつからか、わたしは死者の記憶を想起することで死者が生者のなかで生き続けるという感覚を持つようになった。だから自分がいつか死んだとしても、生者のなかで生かされ続けられるかもしれないとも思えてくる。

　もしかしたら、娘の誕生で感得した祝福の念とは、自分の存在を忘れないでいてくれる関係性が出現したという認識とつながっていたのかもしれない。こどもからしたら全くもって身勝手な了見だと思われかねないが、少なくともわたしが娘のことを忘れようがないことは保障されている。

　もしくは、互いにたとえ狭義の「家族」ではないとしても、眼前の相手のことを忘れないという意思を示すことによって、共に在る感覚は持続されうる。

未来をつくる言葉

幼い頃から、日常生活を「翻訳」が満たしていた。家庭や学校で飛び交う複数の言語間で、時には言葉で表現する喜びに打ち震え、時には口から言葉が出てこないもどかしさに身悶えすることもあった。

ある時から、言葉を吐くという何気ない些細なコミュニケーションのひとつひとつが翻訳行為なのだと思えるようになった。そこから、人の話を聞いたり、本を読んだりすることがさらに好きになった。誰が何語で話していようと、内容そのものへの興味に加えて、当人が「何を翻訳しようとしているのか」というプロセスにも関心を持つようになったのだ。

ある人が任意の言語で話している時、その人は自分の体験を通じて感じたことを、相手の知っている言葉に「翻訳」して話している。同時に、その翻訳行為から常にこぼれ落ちる意味や情緒もある。その隙間をなんとか埋めようとする仕草に、翻訳する人に固有の面白さが現れる。

わたしが学んできた数多の言語は、自分や他者の感覚を表現し、相互に伝えようとする「翻訳」の技法だった。今日わたしたちが紐解くことのできる歴史には、過去の無数の人々が発見し、試行錯誤してきた翻訳の表現が織り込まれている。今、わたしたちがその知識と経験を何のために受け継ぐのかといえば、わたしは互いの「わかりあえなさをつなぐために」と答えたいと思う。異質な個人同士は、この情報社会でますますつながっていくだろう。そんな時代に生きる人間として抱く、ある種の危機感から生まれる考えかもしれない。

今日、インターネットを介して、わたしたちが見知らぬ他者と接触する機会はますます増えているが、そこでは新たな関係性が紡がれる可能性と、異なる価値観を持つ人間同士が分断される危険性の両方が見られる。しかし、この二つの動向は一見矛盾するようでいて、人間の社会が新しい言語を獲得するために通過する必要なステップを共に指し示している。

たとえば、今日のTwitterに代表されるSNS上では、互いに「わかりあえる」集団と「わかりあえない」集団の区分がますます明確に浮き上がってきている。先に述べたあいちトリエンナーレ2019の期間中には、問題とされた表現作品の文脈や背景は削ぎ落とされて、表面的な形象だけを巡って、誹謗中傷が交わされた。

この構図は、広く政治や政策のあらゆる話題で繰り返されてきたものだ。検索や閲覧の履歴データを基に、利用者の嗜好性を捕捉する情報技術によって、各人がそれぞれの価値観の皮膜に閉じ込められ、異なる価値観を許容できなくなる現象はフィルターバブルと呼ばれる。スマートフォンが世界中に浸透し始めた２０１０年代初頭から世界中で続いているが、この議論は情報技術によって生み出されたものではない。わたしたちは自己の身体という原初にもとより存在する傾向を強化しているに過ぎない。情報技術は、人間の社会のフィルターバブルを持って生まれてくるのだ。

それでも、「言語」の持つ力によって、世界を覆う多種多様さをつなぎとめ、それらの間を行き来することができる。複数の文化に包まれてきたわたしは、こどもの頃から今に至るまでそのような言葉に心を動かされてきたし、おそらく、これからも同じようにフィルターバブルを越境する術を探していくだろう。

結局のところ、世界を「わかりあえるもの」と「わかりあえないもの」で分けようとするところに無理が生じるのだ。そもそも、コミュニケーションとは、わかりあうためのものではなく、わかりあえなさを互いに受け止め、それでもなお共に在ることを受け容れるための技法である。「完全な翻訳」などというものが不可能であるのと同じように、わたしたちは互いを完全にわかりあうことなどできない。それでも、わかりあえなさをつなぐことによって、その結び目から新たな意味と価値が湧き出てくる。

現代の情報環境で、見知らぬ他者と共在感覚を得られる範囲は依然として狭いままだ。スマートフォンやPCのスクリーンの向こう側にも、自分と等しく生命的なプロセスを生きる同輩が存在しているのだという当たり前のことを、理性だけではなく身体にも訴える「言語」が必要となる。

幸いにして、そのためのヒントは、この世界の歴史のなかに満ち溢れている。たとえ生物学的な子や親がいなかったとしても、わたしたちは自らの生のプロセスを託す相手を見つけながら生きている。友人や恋人、仕事仲間、もしくは師弟といった関係性のなかで、わたしたちは共に在ると感じられる場をつくりあげる。

互いの一部をそれぞれの環世界に摂り込みつつ、時に「親」として、また別の時には「子」として関係することができる。そう望みさえすれば、人は誰とでも縁起を結び、互いの「わかりあえなさ」を静かに共有するための場を設計《デザイン》できる。なぜなら、わたしたちは自分たちが使う「言葉」によって、自身の認識論を変えられるからだ。

差異を強調する「対話」以外にも、自他の境界を融かす「共話」を使うことによって、関係性の結び方を選ぶことができる。近代社会では、長らく対話こそが民主主義的で合理的な議論を牽引すると考えられてきたが、今日の社会はそのための合理性を十分に発揮できないことを露呈してしまっている。この状況に対して、人の合理的な認知能力を引き上げようという努力も必要かもしれない。だが、それよりもまずは異質な他者と自分を架橋するための心理的な土台を築くことこそが重要だと思う。

　わたしはこれまで、表現とコミュニケーションの関係について考え続けながら、生きている人間同士のコミュニティ、生者と死者が交わるインタフェース、そして人と微生物をつなぐロボットを研究してきた。好奇心の赴くままに行ってきたことだが、あらためて振り返れば、家族、社会、自然環境との関係における分裂に抗うための方法を探ろうとしてきた。自分自身のなかにも吃音という「わからなさ」が同居しているし、多言語間の翻訳だけではなく同じ言語の話者同士でも意思の疎通が図れない状況を、当事者として生きてきた。

　いずれの関係性においても、固有の「わかりあえなさ」のパターンが生起するが、それは埋められるべき隙間ではなく、新しい意味が生じる余白である。このような空白を前にする時、わたしたちは言葉を失う。そして、すでに存在するカテゴリに当てはめて理解しようとする誘惑に駆られる。しかし、じっと耳を傾け、眼差しを向けていれば、そこから互いをつなげる未知の言葉が溢れてくる。わたしたちは目的の定まらない旅路を共に歩むための言語を紡いでいける。

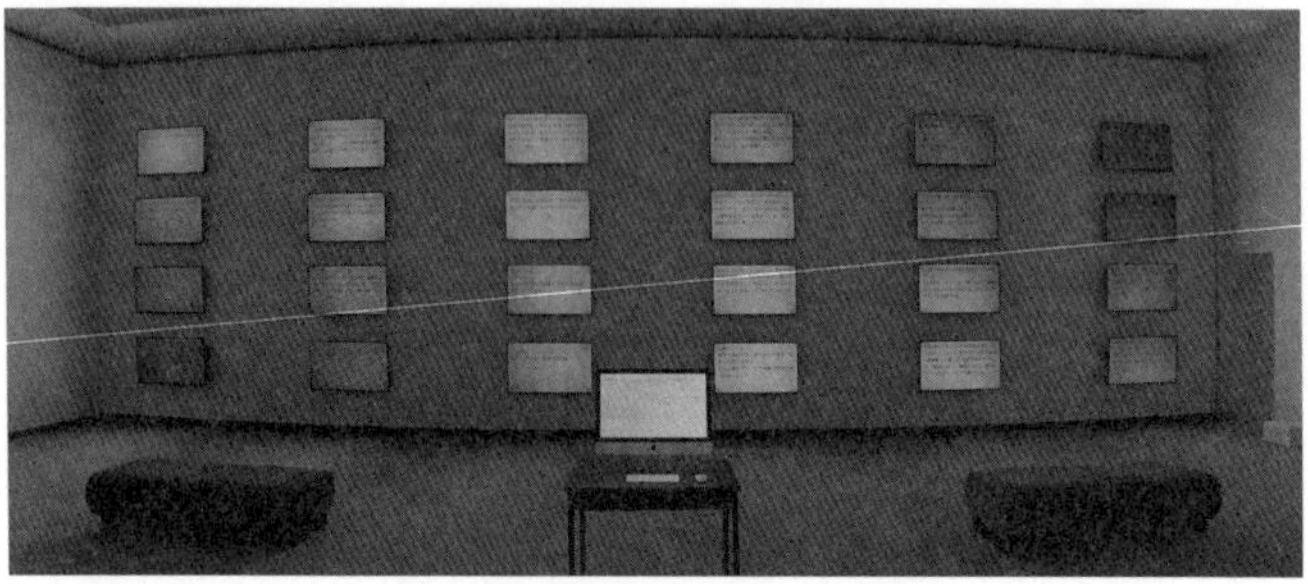

[dividual inc.『Last Words / TypeTrace』 2019]

おわりとはじまりの時

こどもの誕生の瞬間に感得した、自らの死の予祝。自分の死後のために子に宛てて言葉を遺すという行為のなかに、この名状しがたい感情が結実することを知った。

それは死の向こう側にあって、決して自分では見ることのできない未来を生きる子に向けた祝福と共に抱く、持続する高揚だった。

それは同時に、自分自身がさまざまな「領土」を出入りしながら拡げ続けた環世界の運動が、こどもにも知らず知らずのうちに継承され、自らの死後にも決して途絶えることなく続いていくという、尽きることのない安堵でもあった。

彼女は、生まれた瞬間からわたしにとっての「ありえたかもしれない生」として、自律的な生のプロセスを刻み始めている。この関係性が認識された瞬間、「わたし」という存在の一回性は破れる。そして、自分自身が辿ったかもしれない幾多もの可能世界が、こどもの眼差しの先に照射される。そうして、この幾重にも重なり合う世界の振幅は、わたし一人が想像しうる範囲を優に超えるほど大きい。

娘の誕生に端を発して、自らの学習をトレースしながら、思考を書き連ねてきた本書のプロセスも、そろそろ一度閉じようとしている。しかし、最初に書いたように、ひとつのおわりは常に新たなはじまりとつながっている。

この円環的な構造こそが、過去と未来を合わせ鏡のように無限に織り込みながら、いま生きられている現在を作り出しているのだと思う。実際、本書を書きながら、さまざまな過去の点の散らばりが、未来に向けて接続されていった。そして、そのベクトルは同時に、傍らで成長を続けるこどもの未来とも重なるものになった。

先述したように、「生物の成長の歴史がそのかたちに表出する」ことをグレゴリー・ベイトソンは「前に来る時間」を意味するプロクロニズムという言葉で表した。それは目の前にある存在の状態だけではなく、来歴のプロセスを捉えようとする考え方だ。自分が、また他者が、どこからどのようにして現在の地点までやってきたのかを理解しようとすること。この営為を通してはじめて、本当の意味での関係性が生じうる。

　あらゆる存在を他の存在との関係性のなかで捉えられれば、ある存在の記憶が他の存在との関係性の歴史に織り込まれている風景が展開するだろう。

　ただし、それは決して容易なことではないかもしれない。しかし、わたしたちは、人生ですれ違う数え切れない他者たちと、存在を映し合いながら生きている感覚を具現化するための方法を、いくらでも提案し、実験し、育てられる時代に生きている。

　だから、今日、たとえ人々を「接続」しようとする情報技術によってむしろ「わかりあえなさ」が増大しているのだとしても、わたしたちは逆に、さまざまな分裂を超えて、他者と共に在ることを実感しながら生きられる未来をも作れるはずだと信じている。ここまで本書の歩みを共にしてくれた読者の内にも、そのような希望が芽吹いてもらえれば、と切に願っている。

＊＊＊

　本書は新潮社のＷｅｂマガジン「考える人」上での連載『未来を思い出すために』（２０１８年２月から11月まで）をまとめ、大幅な加筆修正を経て刊行されたものである。

　本書の完成は、３人の女性の存在に負っている。

まず、娘が生まれてこなければこの本も生まれなかった。書き終えた今も、ふつふつと発酵し続けている思考の数々も生まれなかった。君にこうして謝意を伝えるのはちょっと変な感じもするし、月並みな表現になってしまうけれど、生まれてきてくれて、そしていつも楽しく共に生きてくれて、本当にありがとう。

そして、そんな娘を生んだ妻にも、最大限の尊敬と感謝を捧げたい。いまだに働く女性の地位が低い日本の企業文化にいて、出産・育児を経てから復職するという、わたしには想像し得ないストレスを乗り越え、いまも最前線で力強く働きながら、共に娘を育ててくれている。こどもとの時間という、これほど素晴らしいことが人生にあるのだと教えてくれて、本当にありがとう。

最後に、担当を務めていただいた新潮社の足立真穂さんは、本書のもうひとりの著者である。そのように思えるほど、丁寧に、辛抱強く、筆者の執筆を支えてくださった。

足立さんは実は、本書でも言及している能楽師の安田登さんのお稽古での姉弟子にあたる。ある日、稽古が終わった後に、「この10年の活動のうねりをまとめてほしい」と、連載の機会をいただいた。内容が確固と定まっていない状態から連載を開始し、暗中模索で行き着いた自伝的なスタイルという不慣れな形式に不安を覚えるなか、変わらぬ信頼を寄せ続けていただいた。

そして、彼女の付かず離れずの絶妙な編集術によって、これまで表現することのできなかった内容の本を書けたように思う。この本を、素晴らしい書籍をたくさん世に送り出している足立さんと共に書けたことを非常に誇りに思うと同時に、遅筆な筆者に忍耐強く付き合ってくださったことに、心より感謝申し上げます。

その他にも、本書を執筆する上で、多くのヒントやアドバイスを与えてくださり、そして応援してくださった方々にも感謝の念を送りたい。なかでも共話については安田登さん、木村大治先生の『共在感覚』については森田真生さんに示唆をいただいた。そして、吃音研究のインタビューをしてくださった伊藤亜紗さんにも併せて、深く感謝いたします。

本書を執筆している間にも、多くの活動の実りがあった。全てを取り込むことはできなかったが、むしろ言葉とは、いつも遅れて到来してくるものだ。身体の内側では思索のプロセスがふつふつと発酵し続け、いつのまにか醸成された言葉がぷかりと浮かんでくる。そして、わたしを構成する経験の総体は、過去に出会ってきた無数の他者の生とつながっている。その意味で本書は、わたしというぬか床そのものの、読者へのおすそわけだ。未来のいつかどこかで、本書を通して読者の中で発酵した言葉と出会えることを夢見ている。

2020年1月　於東京　記

Dominique Chen

1981年生まれ。博士（学際情報学）。NPO法人クリエイティブ・コモンズ・ジャパン（現コモンスフィア）理事、株式会社ディヴィデュアル共同創業者を経て、現在は早稲田大学文化構想学部准教授。一貫してテクノロジーと人間の関係性を研究している。著書に『フリーカルチャーをつくるためのガイドブック』（フィルムアート社）、『謎床』（晶文社、松岡正剛氏との共著）、監訳書に『ウェルビーイングの設計論』（ビー・エヌ・エヌ新社）など多数。

未来《みらい》をつくる言葉《ことば》

わかりあえなさをつなぐために

2020年 1 月20日　発行
2021年 3 月10日　8刷

著者　ドミニク・チェン
装幀　GRAPH＝北川一成と吉本雅俊

発行者　佐藤隆信
発行所　株式会社新潮社
〒162-8711　東京都新宿区矢来町71
電話（編集部）03-3266-5411　（読者係）03-3266-5111
https://www.shinchosha.co.jp
印刷所　錦明印刷株式会社
製本所　加藤製本株式会社

乱丁・落丁本は、ご面倒ですが小社読者係宛お送りください。
送料小社負担にてお取替えいたします。

ISBN 978-4-10-353111-1 C0095
価格はカバーに表示してあります。